Le français langue seconde
par thèmes

Cahier d'exercices • Niveau intermédiaire

Guylaine Cardinal

Le français langue seconde par thèmes

Cahier d'exercices ● *Niveau intermédiaire*

gaëtan morin
éditeur

Données de catalogage avant publication (Canada)

Cardinal, Guylaine, 1964-

    Le français langue seconde par thèmes : cahier d'exercices

    Sommaire : [1] Débutant – **[2] Intermédiaire** – [3] Avancé.

    ISBN 2-89105-568-3 (v. 1) – **ISBN 2-89105-569-1 (v. 2)** – ISBN 2-89105-572-1 (v. 3)

    1. Français (Langue)–Problèmes et exercices.   2. Français (Langue)–Grammaire.   3. Français (Langue)–
Vocabulaires et manuels de conversation.   I. Titre.

    PC2128.C37.2002   448.2'4   C95-940364-7

Tableau de la couverture : *Discussion musicale*
Œuvre de **Marcel H. Poirier**

Marcel H. Poirier, peintre autodidacte, est né à Verdun en 1946. Immobilisé à la suite d'un accident survenu en 1968, il commence à peindre. C'est une véritable révélation et une renaissance pour lui. Grâce à l'indéfectible appui moral et à l'encouragement d'artistes comme Léo Ayotte, Narcisse Poirier, René Richard et Albert Rousseau, ses expositions et les honneurs se succèdent depuis 1972 à un rythme soutenu.

En 1974, Radio-Canada fait un reportage à son atelier. Lors d'une entrevue à Télé-Métropole en 1975, Léo Ayotte déclare que Marcel H. Poirier est habité par le feu sacré. Cette même année, le Festival de la peinture du Québec lui décerne une mention honorifique. Trois ans plus tard, il recevra la Grande Médaille des arts de ce même festival. En 1980, le Centre culturel de Verdun ajoute son nom à sa prestigieuse liste d'exposants. Il remporte, en 1981, le premier prix au Concours de peintures géantes du Stade olympique. En 1982, il reçoit la médaille d'or au Salon international de peinture de Sherbrooke, qui réunit plus de 80 exposants de dix pays. Cette même année, son nom apparaît dans le *Dictionnaire des artistes canadiens* de Colin S. McDonald. En 1989, une exposition solo au Musée Marc-Aurèle Fortin à Montréal marque un jalon important dans la carrière florissante de cet artiste.

Le nom de Marcel H. Poirier est répertorié dans plus de quinze livres d'art, dont une monographie de Guy Robert publiée en 1983.

Les illustrations de cet ouvrage proviennent du logiciel Windows Draw de Micrografx. (Copyright Micrografx, Inc. 1993. All rights reserved.)

Illustrateur : Marc St-Onge
Révision linguistique : Odile Germain

Consultez notre site,
www.groupemorin.com
Vous y trouverez du matériel complémentaire pour plusieurs de nos ouvrages.

Gaëtan Morin Éditeur ltée
171, boul. de Mortagne, Boucherville (Québec), Canada   J4B 6G4
Tél.: (450) 449-2369

Nous reconnaissons l'aide financière du gouvernement du Canada par l'entremise du Programme d'aide au développement de l'industrie de l'édition (PADIÉ) pour nos activités d'édition.

Imprimé au Canada 5 6 7 8 9 0 1 2 3 4   11 10 09 08 07 06 05 04 03 02

Dépôt légal 2e trimestre 1995 – Bibliothèque nationale du Québec – Bibliothèque nationale du Canada

Remerciements

Tous mes remerciements vont à :

- l'équipe de Gaëtan Morin Éditeur, pour son très grand professionnalisme,
- tous mes étudiants, qui m'ont beaucoup appris,
- Josie Piech, qui m'a fortement encouragée à réaliser ce projet,
- Émile et Denise Cardinal, qui ont grandement facilité mon travail.

Aussi, je désire adresser un merci tout spécial à Marc St-Onge, sans qui cet ouvrage n'aurait jamais vu le jour. C'est grâce à sa passion pour l'informatique et à ses précieux conseils que ce projet a pu se réaliser.

Guylaine Cardinal

Avertissement

Dans cet ouvrage, le masculin est utilisé comme représentant des deux sexes, sans discrimination à l'égard des hommes et des femmes et dans le seul but d'alléger le texte.

Table des matières

Remerciements V

PARTIE I
Thèmes

                                                                              PARTIE III
                                                                               Corrigé

THÈME 1   La santé 3   267
THÈME 2   Les qualités et les défauts 35   269
THÈME 3   La météo 51   270
THÈME 4   Les transports 71   271
THÈME 5   Le travail 93   273
THÈME 6   Les actions quotidiennes 109   274
THÈME 7   Le bureau 129   275
THÈME 8   Les voyages 149   277

PARTIE II
Références grammaticales

1.   La ponctuation 169   279
2.   Les noms 171   279
3.   Les articles 179   280
4.   Les adjectifs 189   281
5.   Les pronoms compléments 207   282
6.   Les verbes 229   284
7.   La négation 253   286
8.   La question 257   286

PARTIE I

Thèmes

THÈME **1**

La santé

RÉVISION   *Répondez aux questions.*

1. Identifiez les parties du corps humain.

a) _____

b) _____

c) _____

d) _____

e) _____

f) _____

g) _____

h) _____

2. Conjuguez l'expression **aller bien** au présent.

_____   _____

_____   _____

_____   _____

3. Conjuguez l'expression **avoir mal** au présent.

_____   _____

_____   _____

_____   _____

4. Identifiez les aliments suivants.

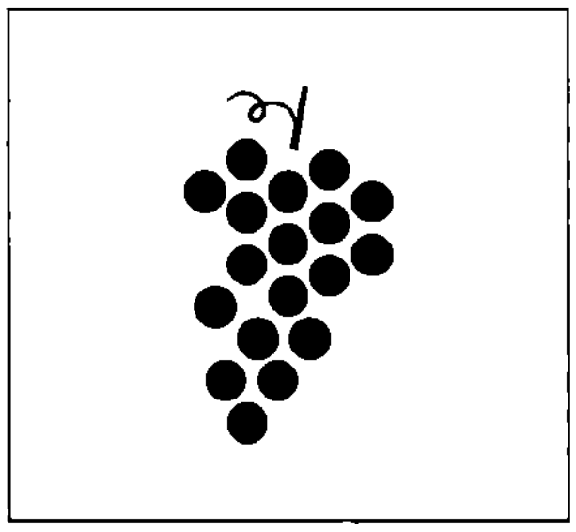

a) ______________

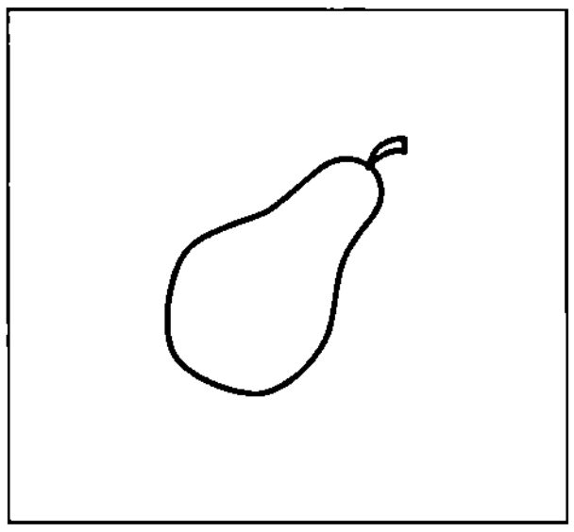

b) ______________

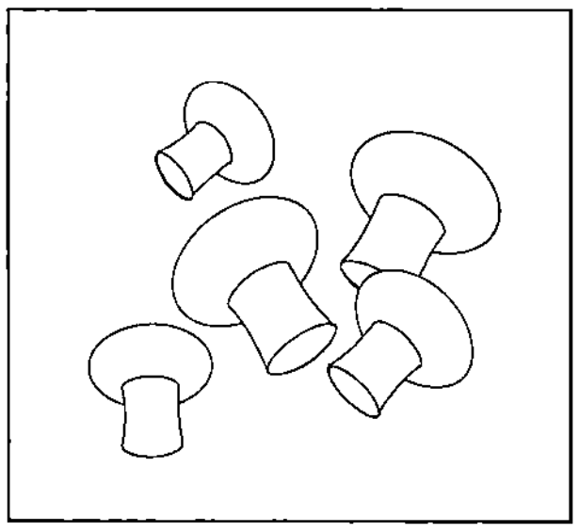

c) ______________

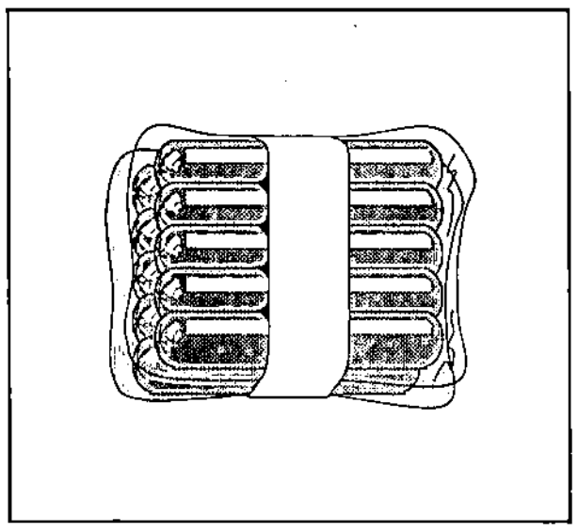

d) ______________

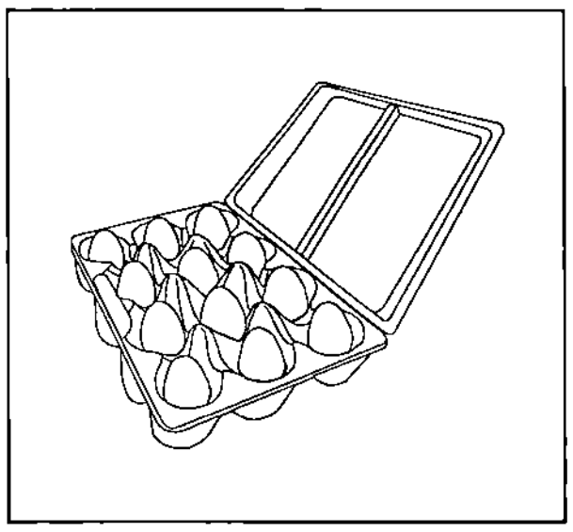

e) ______________

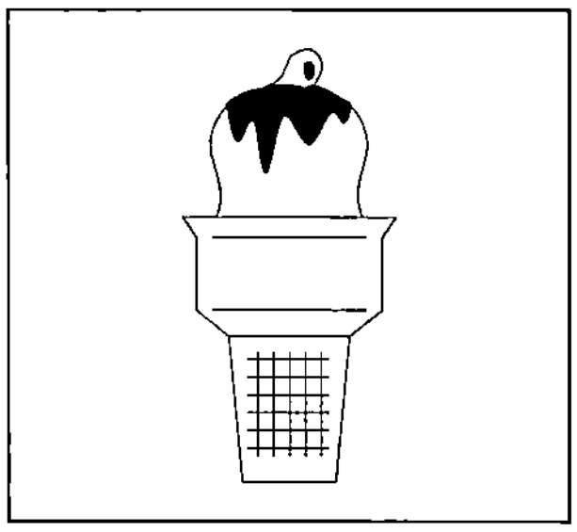

f) ______________

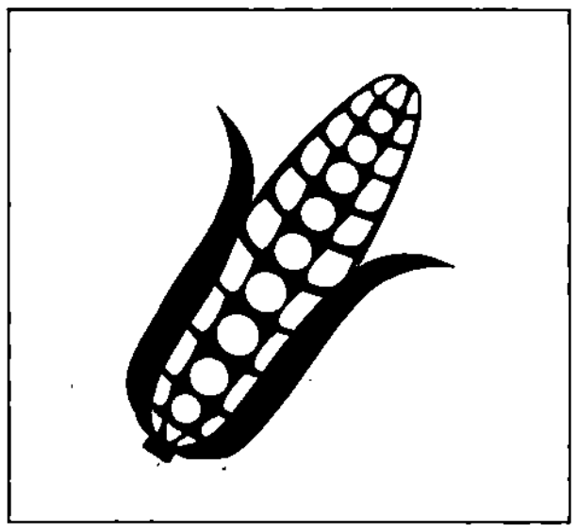

g) ______________

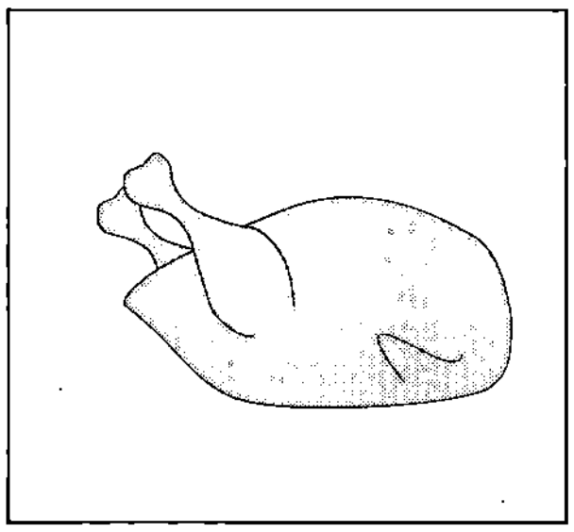

h) ______________

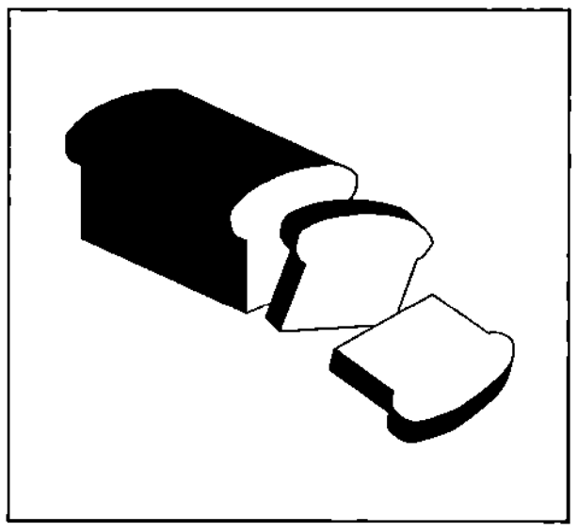

i) ______________

5. Conjuguez au présent l'expression **ne pas avoir faim.**

______________________ ______________________

______________________ ______________________

______________________ ______________________

6. Répondez aux questions suivantes.

a) Joue-t-il au golf?

Oui, _____

b) Sont-elles en forme?

Oui, _____

c) Joues-tu au tennis?

Non, _____

d) Avez-vous soif?

Non, je _____

e) Ont-ils joué au hockey?

Oui, _____

f) Avez-vous fait du ski?

Oui, nous _____

g) Va-t-il jouer au tennis?

Oui, _____

h) Vas-tu faire de la bicyclette?

Non, _____

i) Faites-vous du sport?

Non, je _____

j) Fait-elle de l'exercice?

Non, _____

LE CORPS HUMAIN

EXERCICE 1   *Dans l'illustration, indiquez où sont situées les parties du corps suivantes.*

les cils – les sourcils – les lèvres – le visage – le front – le menton – les narines – les joues – les paupières – le cou – les épaules – les coudes – les poignets – les paumes – les ongles – les cuisses – les genoux – les chevilles – les mollets – les talons

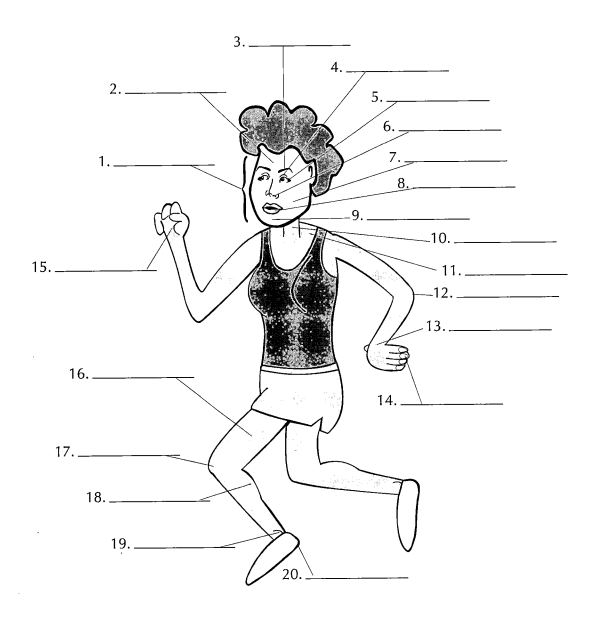

LES POSTURES

EXERCICE 2 *Dans la liste qui suit, trouvez la posture qui correspond à chaque illustration et conjuguez le verbe être à la troisième personne, au présent de l'indicatif.*

être penché – être assis – être à quatre pattes – être debout – être accoudé – être couché

1. Il _est assis_

2. Il _est debout_

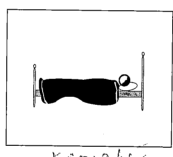

3. Elle _est couchée_

4. Il _est penché_

5. Il _est accoudé_

6. Elle _est à quatre pattes_

☐   *LES RÉACTIONS DU CORPS HUMAIN*   ☐

EXERCICE 3   *Complétez les phrases en utilisant les verbes de la liste suivante.*

éternuer – se gratter – se moucher – se masser – tousser – se reposer

1. Quand on a le rhume, on a le nez qui coule, alors il faut _____

2. Quand on s'étouffe ou qu'on ressent des picotements dans la gorge, il faut _____ pour se sentir soulagé.

3. Quand on a le rhume ou une allergie respiratoire, on a le nez irrité, alors il faut _____ pour se sentir soulagé.

4. Quand on a la grippe et qu'on fait de la fièvre, il faut _____ pour combattre la maladie.

5. Quand on a un membre engourdi, il faut _____ pour accélérer la circulation sanguine.

6. Quand on sent une démangeaison, il faut _____ pour se sentir soulagé.

☐   *QU'EST-CE QU'IL FAUT FAIRE ?*   ☐

Pour être en bonne santé, qu'est-ce qu'il faut faire ?

Ajoutez vos recommandations ici.
↓

– **Il faut...**
- **faire** de l'exercice   _____
- **avoir** une bonne alimentation   _____
- **être** optimiste   _____
- **se reposer**   _____
- **se divertir**   _____

Quand on est malade, qu'est-ce qu'il faut faire ?

Ajoutez vos recommandations ici.
↓

– Il faut... • **se soigner**
 • **se reposer**
 • **dormir**
 • **aller** chez le médecin
 • **prendre** des médicaments
 • **rester** à la maison

_____

_____

_____

_____

_____

Quand on est blessé, qu'est-ce qu'il faut faire ?

Ajoutez vos recommandations ici.
↓

– Il faut... • **aller** chez le médecin
 • **aller** à l'hôpital
 • **se faire** radiographier
 • **se reposer**

_____

_____

_____

_____

_____

Pour prévenir les accidents, qu'est-ce qu'il faut faire ?

Ajoutez vos recommandations ici.
↓

– Il faut... • **faire** attention
 • **être** prudent
 • **respecter** les règles de sécurité

_____

_____

_____

_____

NOTEZ :

Falloir + un verbe à l'**infinitif :**   une **recommandation** ou
une **obligation.**

Le verbe **falloir** est un verbe **impersonnel** ; il se conjugue seulement avec **il, sujet neutre.**

Le verbe **falloir** au présent : **il faut**.

EXERCICE 4   *Qu'est-ce qu'il faut faire dans les situations suivantes ? Choisissez parmi les réponses suggérées ci-dessous.*

désinfecter la plaie – appeler une ambulance – consulter un médecin – se reposer – aller à l'urgence – consulter un pédiatre – donner la respiration artificielle – mettre un pansement sur la plaie

1. Quelqu'un se casse une jambe.
   Qu'est-ce qu'il faut faire ?

   _____

   _____

2. Un bébé a la grippe et il a mal aux oreilles.
   Qu'est-ce qu'il faut faire ?

   _____

   _____

3. Une personne qui ne sait pas nager tombe dans un lac. Vous sortez la personne de l'eau et elle est inconsciente.
   Qu'est-ce qu'il faut faire ?

   _____

   _____

4. Vous avez souvent des étourdissements.
   Qu'est-ce qu'il faut faire ?

   _____

   _____

5. Une personne est très stressée.
   Qu'est-ce qu'il faut faire ?

   _____

   _____

6. Une personne se coupe au doigt avec un couteau de cuisine.
   Qu'est-ce qu'il faut faire ?

   _____

   _____

L'IMPARFAIT

OBSERVEZ:

Lundi dernier, Mathieu **était** fatigué. Le matin, il **avait** mal à la tête et il **avait** mal au cœur. L'après-midi, il **avait** mal partout. Il **était** malade.

Mardi dernier, Mathieu **se sentait** très mal. Il **avait** une grosse grippe. Il **faisait** beaucoup de fièvre.

Mercredi dernier, Mathieu **se sentait** un peu mieux.

Jeudi dernier, Mathieu **allait** beaucoup mieux.

Vendredi dernier, Mathieu **était** presque guéri.

Samedi dernier, Mathieu **était** guéri.

Dimanche dernier, Mathieu **était**
en pleine forme.

QUAND UTILISER L'IMPARFAIT

On utilise l'imparfait pour décrire l'état physique ou mental d'une personne dans le **passé**.

L'imparfait

☞ Voir les Références grammaticales, pages 239 à 242.

AVOIR
- mal à la tête
- mal au cœur
- mal partout

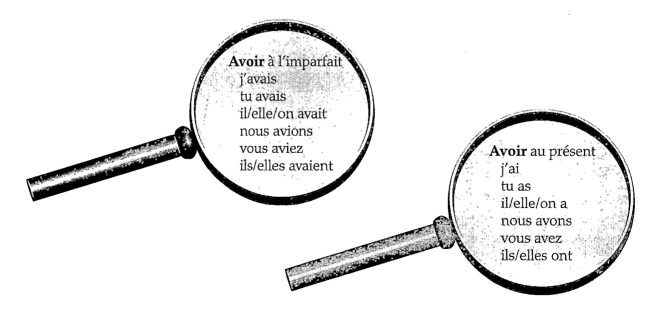

Avoir à l'imparfait
j'avais
tu avais
il/elle/on avait
nous avions
vous aviez
ils/elles avaient

Avoir au présent
j'ai
tu as
il/elle/on a
nous avons
vous avez
ils/elles ont

ÊTRE • bien
• en pleine forme
• fatigué
• malade
• mieux
• guéri

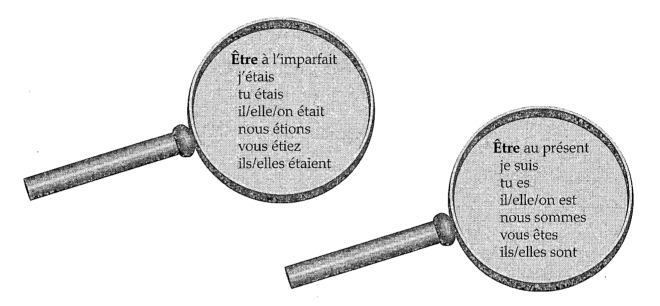

FAIRE de la fièvre

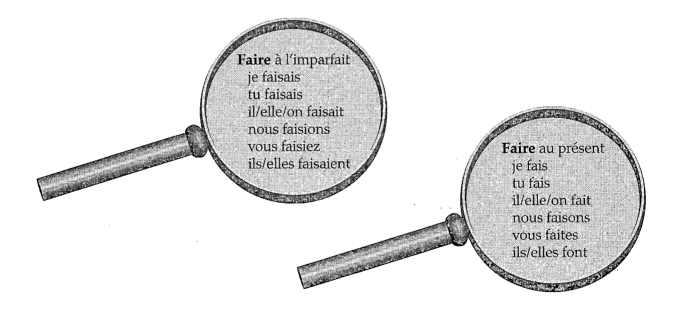

ALLER
- bien
- mal
- mieux

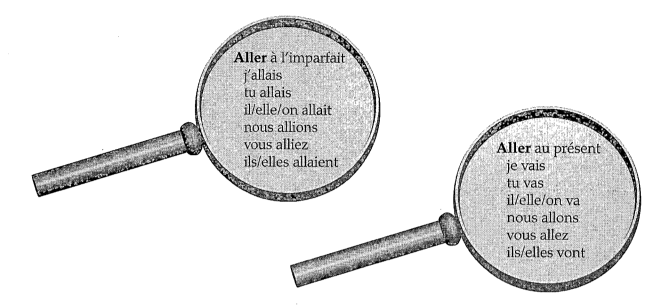

SE SENTIR
- bien
- mal
- mieux

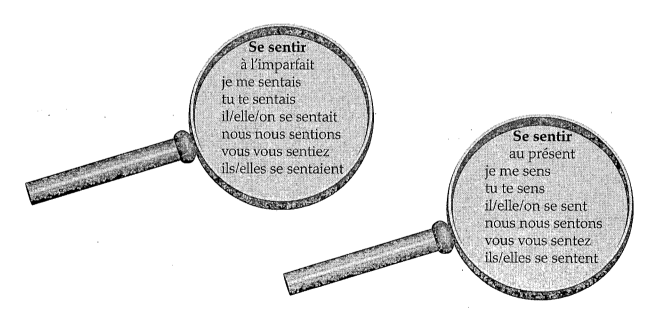

EXERCICE 5   *Conjuguez les verbes à l'imparfait et au présent.*

La semaine dernière...   Cette semaine...

1. j' _____   je _____
              (être malade)   (être en pleine forme)

2. tu _____   tu _____
              (se sentir mal)   (se sentir mieux)

3. il _____   il _____
              (avoir mal à la tête)   (avoir mal partout)

4. elle _____   elle _____
              (être fatigué)   (être bien)

5. nous _____   nous _____
              (être malade)   (être guéri)

6. vous _____   vous _____
              (se sentir mal)   (se sentir bien)

7. ils _____   ils _____
              (avoir mal au cœur)   (ne pas avoir mal au cœur)

8. elles _____   elles _____
              (faire de la fièvre)   (ne pas faire de fièvre)

EXERCICE 6   *Placez l'article indéfini singulier (un ou une)* devant chaque nom. Puis, mettez chaque nom au pluriel.*

Singulier   Pluriel

1. _____ visage   des _____

2. _____ épaule   des _____

3. _____ cou   des _____

4. _____ joue   des _____

5. _____ genou   des _____

6. _____ hôpital   des _____

7. _____ centre médical   des _____

8. _____ pédiatre   des _____

9. _____ médecin   des _____

10. _____ urgence   des _____

11. _____ accident   des _____

12. _____ ambulance   des _____

13. _____ blessé   des _____

14. _____ médicament   des _____

15. _____ radiographie   des _____

16. _____ mal   des _____

17. _____ rhume   des _____

18. _____ grippe   des _____

19. _____ guérison   des _____

20. _____ membre   des _____

21. _____ démangeaison   des _____

22. _____ engourdissement   des _____

23. _____ maladie   des _____

24. _____ plaie   des _____

25. _____ virus   des _____

---

* Le genre (masculin ou féminin) et le nombre (singulier ou pluriel) des noms

☞ Voir les Références grammaticales, pages 171 à 178.

L'ALIMENTATION

EXERCICE 7 *Répondez aux questions en vous servant de la liste suivante.*

du* jus de tomate – du porc – des échalotes – du fromage – des poires – du lait – des épinards - des bleuets – du chou-fleur – du bœuf – du yogourt – de l'aubergine – du jus d'ananas – des champignons – du jus de pomme – du raisin – du veau – des bananes

1. Pour consommer des produits laitiers, qu'est-ce qu'il faut boire ou manger?

    Il faut manger...   Il faut boire...

    _____   _____

    _____   _____

2. Pour consommer des légumes, qu'est-ce qu'il faut boire ou manger?

    Il faut manger...   Il faut boire...

    _____   _____

    _____   _____

    _____

    _____

    _____

3. Pour consommer des fruits, qu'est-ce qu'il faut boire ou manger?

    Il faut manger...   Il faut boire...

    _____   _____

    _____   _____

    _____

    _____

4. Pour consommer de la viande, qu'est-ce qu'il faut manger?

    Il faut manger...

    _____

    _____

    _____

> * **Les articles partitifs**
> ☞ Voir les Références grammaticales, pages 184 et 185.

LA COMPARAISON AVEC DES NOMS

OBSERVEZ:

Dans un régime alimentaire équilibré, ...

- il faut manger **plus de** légumes **que de** viandes
- il faut manger **plus de** fruits **que de** gâteaux
- il faut boire **plus d'**eau **que de** boissons gazeuses

- il faut manger **autant de** légumes **que de** fruits

- il faut manger **moins de** viandes grasses **que de** viandes maigres
- il faut manger **moins de** pain blanc **que de** pain brun
- il faut boire **moins de** café **que d'**eau

EXERCICE 8   *Faites cet exercice en suivant le modèle ci-dessous.*

Exemple : (plus de/carottes fraîches/carottes en conserve)
           Il faut manger plus de carottes fraîches que de carottes en conserve.

Dans un régime alimentaire équilibré, ...

1. (plus de/champignons frais/champignons frits)

   _____

2. (plus de/pommes/tartes aux pommes)

   _____

3. (plus de/jus d'orange/café)

   _____

4. (plus de/fraises fraîches/confiture de fraises)

   _____

5. (autant de/pamplemousses/oranges)

   _____

6. (autant de/riz/pâtes alimentaires)

   _____

7. (moins de/soupes en conserve/soupes maison)

_____

8. (moins de/œufs/légumes)

_____

9. (moins de/vin/jus)

_____

10. (moins de/gâteaux aux fruits/fruits frais)

_____

EXERCICE 9   *Répondez aux questions en utilisant la forme négative.*

1. Pour être en santé, qu'est-ce qu'il ne faut pas faire?

   Exemple: (boire trop d'alcool) Il ne faut pas boire trop d'alcool.

   a) (fumer)   _____

   b) (trop manger)   _____

   c) (se coucher tard)   _____

   d) (rester inactif)   _____

   e) (être pessimiste)   _____

   f) (travailler trop fort) _____

2. Avez-vous d'autres recommandations?

   _____

   _____

   _____

   _____

LES ACTIVITÉS PHYSIQUES

OBSERVEZ:

Avant*, j'**avais** une mauvaise alimentation.

Maintenant, j'ai une bonne alimentation.

Avant, je ne **faisais** pas d'exercice.

Maintenant, je fais de l'exercice.

Avant, je ne **me reposais** pas.

Maintenant, je me repose.

Avant, je n'**étais** pas en forme.

Maintenant, je suis en forme.

*habitudes du passé : utilisation de l'imparfait

AVOIR une bonne/une mauvaise alimentation

Avoir à l'imparfait
j'avais
tu avais
il/elle/on avait
nous avions
vous aviez
ils/elles avaient

FAIRE de l'exercice

Faire à l'imparfait
je faisais
tu faisais
il/elle/on faisait
nous faisions
vous faisiez
ils/elles faisaient

ÊTRE en forme

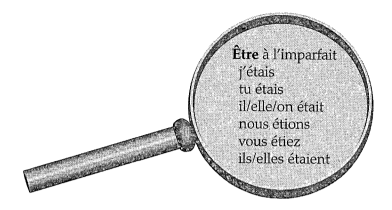

Être à l'imparfait
j'étais
tu étais
il/elle/on était
nous étions
vous étiez
ils/elles étaient

EXERCICE 10   *Complétez la phrase en vous inspirant de l'illustration.*

Quand il était jeune, Pierre était en forme ; ...

1. il _____

2. il _____

3. il _____

4. il _____

EXERCICE 11 *Complétez la phrase en vous inspirant de l'illustration.*

Quand elle était jeune, Louise était en forme ; ...

1. elle _____

2. elle _____

3. elle _____

4. elle _____

QUAND ON FAIT DU SPORT, IL FAUT FAIRE ATTENTION !

OBSERVEZ:

Si on ne fait pas attention, on peut **se blesser**.

On peut... • **se fouler** – une cheville
– un poignet

• **se casser** – un bras
– une jambe

• **s'assommer**

EXERCICE 12 *Qu'est-ce qu'il faut dire quand on est témoin d'un accident? Choisissez les phrases appropriées parmi la liste de réponses qui suit.*

– Vite, appelle une ambulance !
– Restez calme et ne bougez pas ! Je vais chercher du secours.
– Assois-toi et incline ta tête vers l'arrière. Je vais chercher une compresse d'eau froide.
– Madame, êtes-vous blessée ?

1. C'est l'hiver. Vous marchez sur le trottoir quand, soudainement, la femme qui marche devant vous glisse sur la glace et tombe.

    Vous demandez à la dame : _____

2. C'est l'été. Vous vous promenez dans un parc avec un ami. Il y a des enfants qui jouent au soccer. Un des enfants reçoit le ballon sur la tête et il tombe. Vous courez vers l'enfant et vous constatez qu'il est inconscient.

    Vous dites à votre ami : _____

3. Vous jouez au racquetball avec votre ami. Accidentellement, vous donnez un coup de raquette dans le visage de votre ami. Il n'est pas gravement blessé, mais il saigne du nez.

    Vous lui dites : _____

4. Vous êtes sur une pente de ski. Vous voyez un homme qui tombe. Vous approchez de l'homme et vous constatez qu'il a une jambe cassée.

    Vous lui dites : _____

EXERCICE 13   *Trouvez les questions.*

1. _____

   J'ai mal au pied gauche.

2. _____

   Je suis tombé dans l'escalier.

3. _____

   Non, je ne veux pas voir de médecin. Ça va mieux.

4. _____

   Oui, je veux un verre d'eau.

5. _____

   J'ai de la difficulté à respirer et je me sens faible.

6. _____

   Non, je n'ai pas besoin d'aide.

7. _____

   Non, je ne suis pas blessé.

8. _____

   Oui, je veux m'asseoir.

EXERCICE 14   *Dans la liste ci-dessous, quatre mots se disent différemment quand ils sont au pluriel. Encerclez-les.*

a) un blessé
b) une maladie
c) une douleur
d) un œuf
e) un cou
f) un jus
g) un doigt

h) un chou-fleur
i) un hôpital
j) un œil
k) un accident
l) un mal
m) une carotte
n) un bras

Lisez attentivement.

Sylvain et André sont deux amis d'enfance. Ils ne se sont pas vus depuis dix ans et se rencontrent par hasard dans la rue.

(SYLVAIN) — Salut André! Comment ça va?

(ANDRÉ) — Ça va bien merci. Et toi?

(SYLVAIN) — Très bien merci. Et puis, quoi de neuf?

(ANDRÉ) — Ma vie a beaucoup changé depuis la dernière fois qu'on s'est vus. Je suis marié, j'ai un enfant et, crois-le ou non, je me suis lancé en affaires!

(SYLVAIN) — Vraiment? Qu'est-ce que tu fais?

(ANDRÉ) — J'ai ouvert un magasin de sport!

(SYLVAIN) — Ça ne me surprend pas! Tu **étais** tellement sportif au collège. Dis-moi, joues-tu **encore** au tennis?

(ANDRÉ) — Non, je **ne** joue **plus** au tennis.

(SYLVAIN) — Comment ça se fait? Avant, tu **jouais** au tennis tous les jours!

(ANDRÉ) — Je **n'ai plus** le temps. Le magasin prend tout mon temps. Et toi, quoi de neuf?

(SYLVAIN) — Oh! moi, je n'ai pas tellement changé. Je suis encore célibataire et je suis programmeur en informatique.

(ANDRÉ) — Joues-tu **encore** au hockey?

(SYLVAIN) — Non, je **ne** joue **plus** au hockey. Avant, j'**avais** le temps d'aller jouer deux ou trois fois par semaine, mais maintenant c'est plus difficile. L'été, je fais de la natation et l'hiver, je fais du ski de randonnée.

(ANDRÉ) — Et la santé?

(SYLVAIN) — Je me porte à merveille!

(ANDRÉ) — Fumes-tu **encore**?

(SYLVAIN) — Non et je suis très content! Je me sens beaucoup mieux depuis que je **ne** fume **plus**.

(ANDRÉ) — Sylvain, je dois te laisser parce que j'ai un rendez-vous très important avec mon directeur de banque. Laisse-moi ton numéro de téléphone et je vais t'appeler ce soir.

(SYLVAIN) — Oui, d'accord. Mon numéro est le 888-4444.

(ANDRÉ) — Voilà, c'est noté! À ce soir, Sylvain!

(SYLVAIN) — À ce soir!

OBSERVEZ :

Avant...	**Maintenant...**
André **était** célibataire.	André **n'est plus*** célibataire. Il est marié.
André n'**avait** pas d'enfant.	Il a un enfant.
André **était** étudiant.	Il **n'est plus** étudiant. Il est en affaires.
André **était** sportif.	Il **n'est plus** sportif.
André **jouait** au tennis.	Il **ne** joue **plus** au tennis.
André **avait** le temps de jouer au tennis.	Il **n'a plus** le temps.
Sylvain **était** célibataire.	Sylvain est **encore** célibataire.
Sylvain **jouait** au hockey.	Il **ne** joue **plus** au hockey.
Sylvain **avait** le temps de jouer au hockey.	Il **n'a plus** le temps.
Sylvain **fumait**.	Il **ne** fume **plus**.

* **La négation avec *ne... plus***
☞ Voir les Références grammaticales, pages 253 à 256.

EXERCICE 15 *Formulez des phrases qui expriment l'idée contraire et utilisez l'imparfait.*

Exemple : Maintenant, je fais du jogging.
　　　　　Avant, je ne faisais pas de jogging.

1. Maintenant, je fais attention à ce que je mange.

   Avant, _____

2. Maintenant, elle fait de l'exercice régulièrement.

   Avant, _____

3. Maintenant, ils prennent du temps pour s'amuser.

   Avant, _____

4. Maintenant, il ne boit plus beaucoup de café.

   Avant, _____

5. Maintenant, ils n'ont plus le temps de jouer au tennis.

   Avant, _____

6. Maintenant, nous ne sortons pas souvent.

   Avant, _____

7. Maintenant, tu ne regardes plus la télévision toute la soirée.

   Avant, _____

8. Maintenant, elle ne travaille plus les fins de semaine.

   Avant, _____

9. Maintenant, ils ne jouent plus aux cartes tous les samedis soirs.

   Avant, _____

10. Maintenant, je ne prends plus de médicaments.

    Avant, _____

EXERCICE 16 *Répondez aux questions.*

1. Fais-tu encore du yoga ?

   Oui,_____

2. Joue-t-elle encore à la balle molle ?

   Non, _____

3. Est-il encore au régime ?

   Oui,_____

4. Est-elle encore malade ?

   Non, _____

5. Ont-ils encore le rhume ?

   Non, _____

6. Jouez-vous encore au golf ?

   Non, nous _____

7. Êtes-vous encore fatigué ?

   Non, je _____

8. Fait-il encore du ski de randonnée ?

   Oui,_____

9. Fais-tu encore de l'exercice tous les jours ?

   Oui,_____

10. A-t-elle encore le temps de jouer au badminton ?

    Non, _____

LES LOISIRS

QUAND TU ÉTAIS JEUNE,
QUE FAISAIS-TU PENDANT TES LOISIRS ?

– Quand j'**étais** plus jeune, ...   • je **jouais** au baseball et au hockey
                                       • je **lisais** des bandes dessinées
                                       • je m'**amusais** avec des jouets
                                       • je **regardais** la télévision

Maintenant, que fais-tu pendant tes loisirs ?

– Maintenant, ...   • je **fais** du conditionnement physique
                    • je **lis**
                    • j'**écoute** de la musique
                    • je **joue** à des jeux de société et aux échecs
                    • je **vais** au cinéma et au théâtre
                    • je **sors** avec des amis

Avec qui joues-tu aux échecs ?

– Je joue aux échecs avec mon voisin.

Pourquoi joues-tu aux échecs ?

– Parce que ça me repose. Quand je joue à ce jeu, je dois me concentrer sur autre chose que sur mon travail. Ça me fait du bien.

> *La question avec *que* et *qui*
> ☞ Voir les Références grammaticales, pages 257 à 261.

Peux-tu me nommer les pièces d'un jeu d'échecs ?

— Oui, c'est facile ! Il y a deux sortes de pièces :

il y a les **blancs**   et   il y a les **noirs**

Les blancs et les noirs ont chacun **seize pièces** :

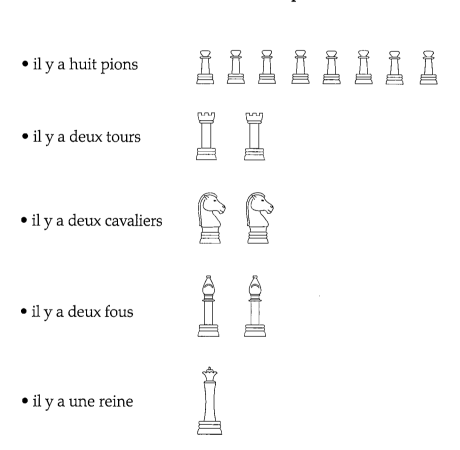

- il y a huit pions

- il y a deux tours

- il y a deux cavaliers

- il y a deux fous

- il y a une reine

- il y a un roi

Et quel est le but du jeu ?

– Le but du jeu est de mettre l'adversaire **échec et mat**.

Veux-tu jouer une partie d'échecs avec moi ? As-tu le temps ?

– Je n'ai pas vraiment le temps, mais je dois penser à ma santé ! Il faut prendre le temps de se divertir.

Tu as raison !

EXERCICE 17   *Choisissez un jeu de société et expliquez ce qu'il faut faire. Vous pouvez choisir parmi la liste de jeux suivante ou vous pouvez choisir un autre jeu.*

- un jeu de cartes (le cinq cents, le vingt et un, le huit...)
- le jeu de dames
- le jeu de fléchettes
- les dominos
- le jeu du dictionnaire
- le jeu « Fais-moi un dessin »

Voici quelques expressions qui peuvent vous être utiles :
- Ce jeu se joue à (deux, trois, quatre... joueurs/personnes).
- Le but du jeu est de...
- Dans ce jeu, il y a...
- Dans ce jeu, il faut (+ un verbe à l'infinitif)...
- Le gagnant est celui qui...
- Le perdant est celui qui...
- Il faut toujours (+ un verbe à l'infinitif)...
- Il ne faut jamais (+ un verbe à l'infinitf)...

EXERCICE 18   *Lisez attentivement.*

Une histoire de pizzas !

Quand j'avais dix-neuf ans, j'allais à l'université le jour et je travaillais le soir. J'étais livreur pour un restaurant italien. C'est incroyable comme on apprend beaucoup de choses sur les gens quand on est livreur. On découvre leurs habitudes, leurs goûts et leur mode de vie. Cependant, j'ai appris qu'il faut être très discret quand on est livreur...

Laissez-moi vous raconter l'histoire de monsieur et de madame Legros. Monsieur et madame Legros étaient deux très bons clients. Ils mangeaient de la pizza deux fois par semaine. Le mercredi soir, M. Legros commandait une grande pizza toute garnie et le samedi soir, Mme Legros commandait une grande pizza au fromage et aux anchois.

Un soir, j'ai demandé à M. Legros pourquoi il commandait de la pizza toujours les mêmes soirs. M. Legros m'a répondu :

– Parce que ma femme et moi sommes au régime depuis plusieurs mois. Personnellement, je n'aime pas les régimes ! Je dois manger un petit bol de céréales au déjeuner, une salade au dîner et un peu de poisson et de légumes au souper. C'est horrible parce que j'ai toujours faim. Mais, heureusement, tous les mercredis soirs, ma femme va à son cours de danse aérobique. Comme elle n'est pas à la maison, j'en profite pour commander une grande pizza toute garnie. C'est tellement bon !

Nous avons ri quelques secondes et je lui ai demandé :

– Et pourquoi commandez-vous une grande pizza au fromage et aux anchois tous les samedis soirs ?

M. Legros m'a répondu :

– Là, vous m'apprenez quelque chose parce que je ne suis pas ici le samedi soir. Je joue toujours aux quilles ce soir-là !

Répondez aux questions sur le texte.

1. Quel âge avait le narrateur quand il était livreur ?

_____

2. Où allait-il pendant la journée ?

_____

3. Selon le narrateur, quand on est livreur, il faut être...

_____

4. Combien de fois par semaine le narrateur livrait-il de la pizza chez M. et Mme Legros?

_____

5. Pourquoi M. Legros a-t-il toujours faim?

_____

6. Que mange-t-il au déjeuner?

_____

7. Où va Mme Legros tous les mercredis soirs?

_____

8. Quelle sorte de pizza commande M. Legros?

_____

9. Que fait M. Legros tous les samedis soirs?

_____

10. Selon vous, qui commande la grande pizza au fromage et aux anchois?

_____

THÈME 2
Les qualités et les défauts

RÉVISION   *Répondez aux questions.*

1. Conjuguez le verbe **être** au présent.

_____   _____

_____   _____

_____   _____

2. Conjuguez le verbe **être** à l'impératif présent.

_____

_____

_____

3. Mettez au féminin les adjectifs suivants.

a) généreux : _____

b) honnête : _____

c) distrait : _____

d) paresseux : _____

e) poli : _____

f) ponctuel : _____

g) têtu : _____

h) travailleur : _____

4. Trouvez l'expression contraire de **avoir bon caractère**.

_____

5. Trouvez un antonyme pour chacun des adjectifs suivants.

a) gentil : _____

b) honnête : _____

c) poli : _____

d) calme : _____

L'INFLUENCE DE LA FAMILLE
SUR LE CARACTÈRE D'UNE PERSONNE

Il est bien connu que les membres de notre famille influencent énormément notre caractère. On compare souvent le caractère d'un jeune enfant avec le caractère du père ou de la mère. On entend souvent des phrases comme:

Il est têtu comme son père.

Elle est nerveuse comme sa mère.

Elle est calme comme son père.

Il est actif comme sa mère.

On entend aussi souvent des phrases comme:
- Paul est très distrait. Il **tient de** son père.
- Je suis très ponctuel. Je **tiens de** ma mère.
- Elle est très curieuse. Elle **tient de** sa tante.

TENIR DE quelqu'un signifie avoir les mêmes qualités ou les mêmes défauts qu'un membre plus vieux de notre famille.

Et vous... **de qui* tenez-vous?**

TENIR de quelqu'un

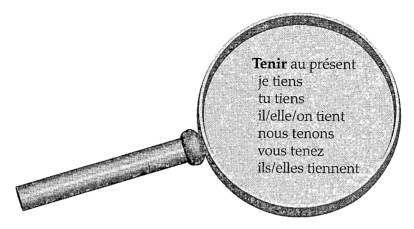

De plus, un verbe très utilisé pour faire une comparaison est le verbe **ressembler** (à quelqu'un).

Exemple :   Je ressemble à ma mère.

Vos enfants... **à qui* ressemblent-ils ?**

RESSEMBLER à quelqu'un

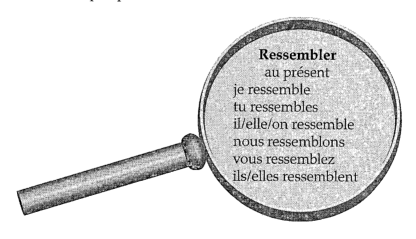

* La question avec *de qui* et *à qui*
☞ Voir les Références grammaticales, pages 260 et 261.

OBSERVEZ :

Jacques **ressemble-t-il** à son père ?

– Oui, il ressemble à son père.
ou
– Oui, il **lui** ressemble.

– Non, il ne ressemble pas à son père.
ou
– Non, il ne **lui** ressemble pas.

Lui est un **pronom complément indirect** qui remplace **à son père.**

LES PRONOMS COMPLÉMENTS INDIRECTS

	Singulier	**Pluriel**
1re personne	me	nous
2e personne	te	vous
3e personne	lui	leur

Les pronoms compléments indirects
☞ Voir les Références grammaticales, pages 221 à 224.

EXERCICE 1   *Complétez en utilisant les pronoms compléments indirects.*

Exemple: Louise dit: « Je suis comme mon père, je lui ressemble. »

1. Jean dit: « Je suis comme ma mère, je _____ ressemble. »

2. Laurent dit à Pierre: « Tu es comme ton père, tu _____ ressembles. »

3. Pauline dit à sa fille: « Tu es comme moi, tu _____ ressembles. »

4. Les parents de Jacques disent à Jacques: « Tu es comme nous, tu _____ ressembles. »

5. Marie dit aux parents de Jacques: « Jacques est comme vous, il _____ ressemble. »

6. Marie dit à son mari: « Jacques est comme ses parents, il _____ ressemble. »

7. Valérie dit à Manon: « Tes filles sont comme toi, elles _____ ressemblent. »

8. Mme Vachon dit à M. Dupré: « Votre garçon est comme vous, il _____ ressemble. »

EXERCICE 2   *Répondez aux questions.*

Exemple: Est-ce qu'il te ressemble?
Oui, il me ressemble.
Non, il ne me ressemble pas.

1. Est-ce qu'elle lui ressemble?
Oui, elle _____
Non, elle _____

2. Est-ce que tu lui ressembles?
Oui, je _____
Non, je _____

3. Est-ce que nous leur ressemblons?
Oui, vous _____
Non, vous _____

4. Est-ce que je te ressemble?
Oui, tu _____
Non, tu _____

5. Est-ce que vous leur ressemblez?

Oui, nous _____

Non, nous _____

6. Est-ce que tu me ressembles?

Oui, je _____

Non, je _____

7. Est-ce qu'ils nous ressemblent?

Oui, ils _____

Non, ils _____

8. Est-ce qu'elle te ressemble?

Oui, elle _____

Non, elle _____

AVEZ-VOUS CHANGÉ ?

Avec les années, tout le monde change. Prenons le cas de Lucie :

Quand elle était jeune, ...
- elle était nerveuse
- elle était très frivole
- elle était paresseuse

Maintenant, ...
- elle est plus calme
- elle est plus sérieuse
- elle est travailleuse

Lucie a changé : elle est plus calme, plus sérieuse et plus travailleuse qu'avant.

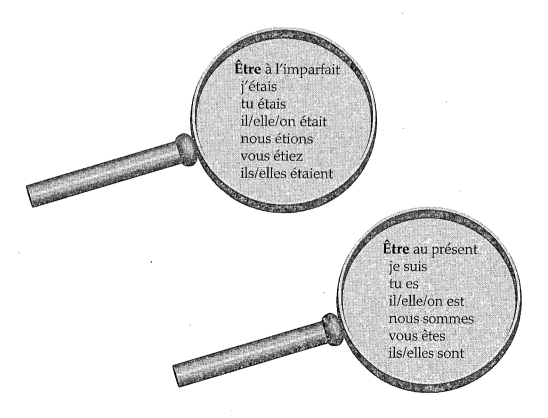

Être à l'imparfait
j'étais
tu étais
il/elle/on était
nous étions
vous étiez
ils/elles étaient

Être au présent
je suis
tu es
il/elle/on est
nous sommes
vous êtes
ils/elles sont

EXERCICE 3   *Trouvez trois traits de votre caractère qui ont changé.*

Quand j'étais jeune, ...   Maintenant, ...

_____   _____

_____   _____

_____   _____

EXERCICE 4   *Lisez attentivement.*

Pendant le souper, Stéphane parle avec sa femme, Linda.

(STÉPHANE) — Tu ne devineras jamais qui j'ai rencontré aujourd'hui pendant que j'étais à la banque !

(LINDA) — Qui ?

(STÉPHANE) — J'ai rencontré Jean-Louis.

(LINDA) — Ah oui ? Ça fait au moins dix ans qu'on ne lui a pas parlé. Comment va- t-il ?

(STÉPHANE) — Il va très bien. Il a décidé de revenir habiter à Montréal.

(LINDA) — Est-ce qu'il a changé ?

(STÉPHANE) — Non, il est toujours le même ! Il est très actif, il est de bonne humeur et il est toujours aussi drôle !

(LINDA) — Et moi, sais-tu qui j'ai vu aujourd'hui ?

(STÉPHANE) — Non. Qui ?

(LINDA) — J'ai rencontré, tout à fait par hasard, Mme Racine.

(STÉPHANE) — Qui est Mme Racine ?

(LINDA) — Tu ne te souviens pas ?

(STÉPHANE) — Non !

(LINDA) — Mais si ! Elle était notre voisine d'en face quand nous habitions rue Saint-Louis.

(STÉPHANE) — Ah oui, oui ! Je me souviens maintenant. Est-ce qu'elle est aussi timide qu'avant ?

(LINDA) — Non, elle a beaucoup changé. Elle est plus souriante et elle est plus bavarde qu'avant. Elle a pris un peu de poids, mais ça lui va très bien.

(STÉPHANE) — Avant que j'oublie, je veux te dire que j'ai invité Jacques à venir souper samedi soir.

(LINDA) — Tu n'es pas sérieux ?

(STÉPHANE) — Qu'est-ce qu'il y a ? Pourquoi ris-tu ?

(LINDA) — Je ris parce que j'ai invité Mme Racine à venir souper samedi soir !

Répondez aux questions.

1. Comment était Jean-Louis quand il était jeune ?

_____

2. Comment est-il maintenant ?

_____

3. Comment était Mme Racine quand elle était jeune ?

_____

4. Comment est-elle maintenant ?

_____

LES QUALITÉS ET LES DÉFAUTS AU TRAVAIL

Pour être compétent et heureux dans son travail, il faut avoir les qualités nécessaires. Par exemple, une personne très bavarde risque d'être très malheureuse si elle est bibliothécaire. De plus, il ne faut pas avoir les défauts qui peuvent nuire à notre carrière. Par exemple, un contrôleur aérien qui est très distrait peut provoquer de graves accidents.

EXERCICE 5   *Selon vous, parmi les suivants, quel couple qualité-défaut correspond le mieux à chaque exemple de métier ou de profession ?*

calme/inattentif – prudent/peureux – dynamique/introverti – patient/ignorant – organisé/impoli – compréhensif/agressif – objectif/subjectif – ingénieux/paresseux

Pour être un bon...	il faut être...	il ne faut pas être...
1. vendeur		
2. psychologue		
3. inventeur		
4. chirurgien		
5. juge		
6. secrétaire		
7. pompier		
8. professeur		

Les adjectifs qualificatifs
☞ Voir les Références grammaticales, pages 189 à 199.

OBSERVEZ :

Céline est représentante pour une compagnie d'assurances. Elle est un peu trop timide et elle devient très nerveuse quand elle doit rencontrer un nouveau client. Son amie lui dit :

L'enseignante dit à ses étudiantes :

Pendant une réunion, les employés d'une agence de publicité disent :

Quelques minutes avant une entrevue pour un nouvel emploi, Marie se dit :

* La comparaison avec les adjectifs qualificatifs
☞ Voir les Références grammaticales, pages 200 et 201.

FALLOIR

Le verbe impersonnel **falloir** peut être utilisé de deux façons :

1. **Falloir** peut être suivi d'un verbe à l'infinitif.

   Exemples :   Il faut **être** poli.
               Il faut **avoir** de la volonté.
               Il faut **étudier**.

2. **Falloir** peut être suivi de **que** + un verbe conjugué au **subjonctif***.

Il faut...   **+**

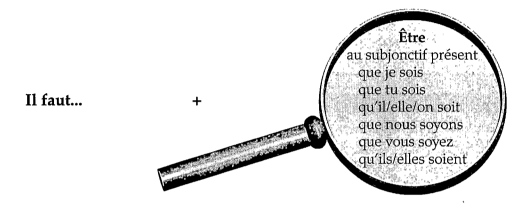

Être
au subjonctif présent
que je sois
que tu sois
qu'il/elle/on soit
que nous soyons
que vous soyez
qu'ils/elles soient

*****Le subjonctif présent**
☞ Voir les Références grammaticales, pages 249 à 251.

EXERCICE 6   *Dans le métier ou la profession que vous pratiquez, nommez trois qualités que vous avez et qui sont très importantes ; puis, nommez trois défauts qu'il ne faut pas avoir dans votre travail.*

1. Dans mon travail, il faut que je sois   _____

   _____

   _____

2. Dans mon travail, il ne faut pas que je sois   _____

   _____

   _____

EXERCICE 7   *Formez des phrases en vous inspirant de l'exemple. N'oubliez pas d'accorder les adjectifs.*

Exemple : (tu/être) très honnête avec les gens.
Il faut que tu sois très honnête avec les gens.

1. (nous/être) très compréhensif avec les enfants.

   _____

2. (vous/être) très poli avec les clients.

   _____

3. (nous/être) plus attentif en classe.

   _____

4. (ils/être) plus studieux.

   _____

5. (je/être) plus patient.

   _____

6. (tu/être) très prudent sur la route.

   _____

7. (elles/être) très alerte dans des cas d'urgence.

   _____

8. (il/être) très créatif dans son travail.

   _____

EXERCICE 8   *Lisez attentivement.*

Il faut que...

« Il faut que... » est une expression que nous entendons souvent durant notre vie.

Quand nous sommes petits, nos parents nous disent : « Il faut que tu sois gentil avec tes frères et tes sœurs. » « Il faut que tu sois poli avec les grandes personnes. » « Il faut que tu sois honnête dans la vie. » « Il faut que tu sois sage pendant notre absence. » Nos professeurs nous disent : « Il faut que tu sois plus studieux. » « Il faut que tu sois plus attentif. » « Il faut que tu sois moins turbulent dans la classe. »

Quand nous sommes adolescents, nos parents nous disent : « Il faut que tu sois plus sérieux dans tes études. » « Il faut que tu sois prudent quand tu sors avec tes amis. » « Il faut que tu sois sportif si tu veux être en forme. » Nos amis nous disent : « Il faut que tu sois moins timide si tu veux rencontrer de nouveaux amis. » « Il faut que tu sois moins obéissant si tu veux être respecté. »

Quand nous sommes adultes, notre conjoint, nos amis, nos collègues de travail nous disent : « Il faut que tu sois optimiste si tu veux réussir. » « Il faut que tu sois plus compréhensif avec tes enfants. » « Il faut que tu sois ponctuel quand tu as des rendez-vous. » « Il faut que tu sois moins têtu pendant les discussions. » « Il faut que tu sois plus aimable avec les clients. » « Il faut que tu sois dynamique si tu veux obtenir une promotion. »

Quand nous sommes retraités, nos enfants et nos amis nous disent : « Il faut que tu sois plus raisonnable dans tes activités. » « Il faut que tu sois plus prudent quand tu fais du sport. » « Il faut que tu sois actif si tu veux rester en forme. » « Il faut que tu sois moins exigeant envers toi-même. »

En résumé, il faut que nous soyons parfaits si nous ne voulons pas que les gens nous disent : « Il faut que... ».

Répondez aux questions sur le texte.

1. Voici des adjectifs qualificatifs. Trouvez, dans le texte, les adjectifs qui signifient le contraire.

a) imprudent : _____   f) tranquille : _____

b) malhonnête : _____   g) méchant : _____

c) pessimiste : _____   h) impoli : _____

d) tannant : _____   i) distrait : _____

e) bête : _____

2. Mettez au féminin les adjectifs suivants.

a) gentil : _____   f) sportif : _____

b) poli : _____   g) obéissant : _____

c) studieux : _____   h) têtu : _____

d) attentif : _____   i) prudent : _____

e) turbulent : _____

3. Conjuguez le verbe **être** au subjonctif présent.

que je _____   que nous _____

que tu _____   que vous _____

qu'il/elle/on _____   qu'ils/elles _____

4. Conjuguez le verbe **falloir** au présent de l'indicatif.

_____   _____

_____   _____

_____   _____

5. Selon le texte, comment faut-il que nous soyons si nous ne voulons pas que les gens nous disent : « Il faut que... » ?

_____

<table>
<tr><td>

THÈME *3*

La météo

</td></tr>
</table>

RÉVISION   *Répondez aux questions.*

1. Quel temps fait-il ?

a) Il _____

b) Il _____

c) Il _____

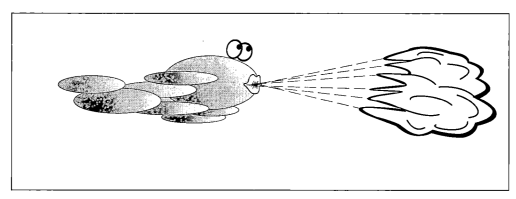

d) Il _____

2. Nommez les douze mois de l'année.

_____   _____   _____

_____   _____   _____

_____   _____   _____

_____   _____   _____

3. Conjuguez aux temps voulus et selon les modèles donnés.

Présent

Passé ◄————————————————┼————————————————► Futur

Hier, ...   Aujourd'hui, ...   Demain, ...

a) il _____   il fait beau.   b) il _____
   (passé composé)   (présent)   (futur immédiat)

c) il _____   d) il _____   il ne va pas pleuvoir.
   (passé composé)   (présent)   (futur immédiat)

a-t-il venté?   e) _____   f) _____
(passé composé)   (présent)   (futur immédiat)

4. Trouvez les questions.

Exemple: (tu/avoir chaud/présent) As-tu chaud?

a) (vous/avoir chaud/présent)

_____

b) (elle/avoir chaud/présent)

_____

c) (ils/avoir froid/passé composé)

_____

d) (tu/avoir froid/passé composé)

_____

e) (nous/avoir froid/futur immédiat)

_____

f) (il/avoir froid/futur immédiat)

_____

PARLONS DE LA PLUIE ET DU BEAU TEMPS

Le temps est pluvieux.

Le temps est brumeux.

Le temps est orageux.

Il fait une chaleur étouffante.

Il fait un froid de loup.

Il pleut à boire debout.

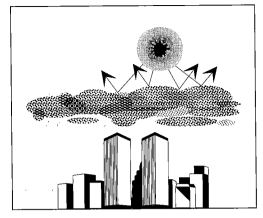

Le temps est couvert.

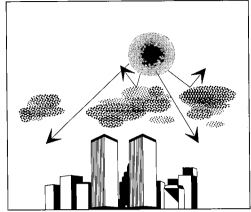

Le temps s'éclaircit.

Il grêle.

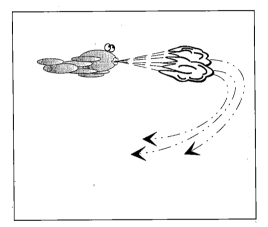

Le vent tourne.

Elle prend un bain de soleil.

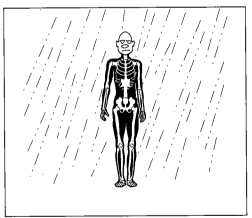

Il est trempé jusqu'aux os.

Le temps qu'il fait est un sujet de conversation très populaire.
À la maison, au bureau, dans la rue, tout le monde parle du temps.

EXERCICE 1 *Lisez attentivement.*

Une partie de golf orageuse !

Jean-Pierre est représentant. Ce matin, il rencontre M. Landry, un nouveau client.

(JEAN-PIERRE) — Bonjour, Monsieur Landry ! Comment allez-vous ce matin ?

(M. LANDRY) — Très bien merci. Et vous ?

(JEAN-PIERRE) — Je vais très bien. **Il fait un temps splendide** aujourd'hui, n'est-ce pas ?

(M. LANDRY) — Oui, **il fait très beau. C'est un temps idéal** pour jouer au golf : **il ne fait pas trop chaud** et **il ne vente pas**. Dites-moi, est-ce que vous jouez au golf ?

(JEAN-PIERRE) — Oui, mais je ne suis pas chanceux ! Chaque fois que je joue au golf, **il pleut !**

(M. LANDRY) — Ce n'est pas grave ! Apportez un parapluie !

(JEAN-PIERRE) — Vous aimez jouer au golf même quand **il pleut ?**

(M. LANDRY) — Certainement ! Je joue au golf **beau temps, mauvais temps !** Il y a deux semaines, je suis allé jouer au golf et **il y a eu un gros orage.**

(JEAN-PIERRE) — Qu'est-ce que vous avez fait ?

(M. LANDRY) — Je me suis couché par terre et j'ai attendu. Après **l'orage**, j'ai terminé ma partie.

(JEAN-PIERRE) — Je constate que vous êtes un grand amateur de golf, Monsieur Landry.

(M. LANDRY) — Dites-moi, voulez-vous venir jouer au golf avec moi cet après-midi ? En même temps, nous discuterons d'affaires.

(JEAN-PIERRE) — C'est d'accord, mais à une condition...

(M. LANDRY) — Laquelle ?

(JEAN-PIERRE) — S'il y a **un orage**, je rentre chez moi.

(M. LANDRY) — Marché conclu !

Répondez aux questions sur le texte.

1. Comment va M. Landry ?

2. Quel temps fait-il au moment du rendez-vous ?

_____

3. Selon M. Landry, c'est un temps idéal pour faire quelle activité ?

_____

4. Pourquoi Jean-Pierre dit-il qu'il n'est pas chanceux ?

_____

5. Que répond M. Landry à Jean-Pierre ?

_____

6. Quand M. Landry joue-t-il au golf ?

_____

7. Qu'est-il arrivé il y a deux semaines ?

_____

8. Qu'est-ce que M. Landry a fait ?

_____

9. Que constate Jean-Pierre ?

_____

10. Que propose M. Landry à Jean-Pierre ?

_____

11. Jean-Pierre accepte l'invitation de M. Landry à une condition. Laquelle ?

_____

12. Quelle expression démontre que M. Landry accepte la condition de Jean-Pierre ?

_____

EXERCICE 2   *Complétez le dialogue à l'aide des énoncés suivants.*

– il ne fait pas trop chaud
– Il pleut
– Beau temps, mauvais temps
– Il fait un temps splendide
– il y a eu un gros orage
– C'est un temps idéal

Valérie est en Floride. Elle est au téléphone avec Michèle qui est à Montréal.

(MICHÈLE)   –   Quel temps fait-il là-bas?

(VALÉRIE)   –   _____ ! _____

_____ pour se baigner.

(MICHÈLE)   –   Est-ce qu'il fait chaud?

(VALÉRIE)   –   Oui, mais_____ . On

est juste bien. À Montréal, quel temps fait-il?

(MICHÈLE)   –   _____ . La nuit der-

nière, _____ . Dis-

moi, est-ce que tu reviens mardi prochain comme prévu?

(VALÉRIE)   –   Oui, oui. _____ , je

serai à Montréal mardi soir.

EXERCICE 3   *Lisez attentivement.*

Le bulletin de météo

Diane et Louis sont à la maison. Diane demande : « Louis, as-tu écouté **le bulletin de météo** à la radio ? »

(LOUIS)   –   Oui.

(DIANE)   –   **Qu'est-ce qu'on annonce ?**

(LOUIS)   –   **On annonce du beau temps** pour demain matin, mais on dit que **le temps va se couvrir** dans l'après-midi et qu'**il y a soixante-dix pour cent de probabilités d'averses.**

(DIANE)   –   Ce n'est pas fantastique comme **météo** ! Je pense que je vais faire mon jogging demain matin.

(LOUIS)   –   Oui, c'est préférable. Si tu fais ton jogging dans l'après-midi, tu risques d'**être trempée jusqu'aux os** !

Encerclez les bonnes réponses.

1. Diane et Louis sont...
   a) au bureau.
   b) au magasin.
   c) au cinéma.
   d) à la maison.

2. Comment Louis sait-il le temps qu'il va faire ?
   a) Il a lu le journal.
   b) Il a écouté la radio.
   c) Il a regardé la télévision.
   d) Il est météorologue.

3. Selon Louis, quand va-t-il faire beau ?
   a) Il va faire beau le matin.
   b) Il va faire beau l'après-midi.
   c) Il va faire beau toute la journée.
   d) Il va faire beau le soir.

4. Quel est le contraire de l'expression **le temps se couvre** ?
   a) Le temps s'ennuage.
   b) Le temps s'éclaircit.
   c) Le temps est brumeux.
   d) Il fait froid.

5. En pourcentage, quelles sont les probabilités d'averses ?
   a) Il y a soixante-dix pour cent de probabilités d'averses.
   b) Il y a soixante-quinze pour cent de probabilités d'averses.
   c) Il y a quatre-vingt-dix pour cent de probabilités d'averses.
   d) Il y a dix pour cent de probabilités d'averses.

6. Que va faire Diane demain matin ?
   a) Elle va faire son lavage.
   b) Elle va jouer au golf.
   c) Elle va faire son jogging.
   d) Elle va écouter le bulletin de météo.

7. Que signifie l'expression **être trempé jusqu'aux os** ?
   a) Cette expression signifie qu'une personne est très maigre.
   b) Cette expression signifie qu'une personne est stupide.
   c) Cette expression signifie qu'une personne n'aime pas l'eau.
   d) Cette expression signifie qu'une personne a été longtemps sous la pluie et que ses vêtements sont imbibés d'eau.

EXERCICE 4   *Complétez le dialogue à l'aide des énoncés suivants.*

– Qu'est-ce qu'on annonce
– du beau temps
– Il y a quatre-vingts pour cent de probabilités d'averses
– le temps va se couvrir
– le bulletin de météo

– As-tu regardé _____ à la télé ?

– Oui.

– _____ pour demain ?

– On annonce _____ durant la journée.

– Parfait ! Je vais peindre la galerie.

– Je ne sais pas si c'est une bonne idée. On dit que _____

_____ en fin d'après-midi.

– Est-ce qu'il va pleuvoir ?

– Peut-être, _____

_____ dans la soirée.

– Ah non ! S'il pleut dans la soirée, ma galerie n'aura pas le temps de sécher. Si ça continue comme ça, je vais peindre cette galerie au mois de décembre !

Lisez attentivement.

La tempête de neige

Jean-Marc arrive au bureau et il parle avec Éloïse, la secrétaire.

(JEAN-MARC)   –   **Quel temps horrible** ! Les routes sont bloquées partout !

(ÉLOÏSE)   –   Oui, **c'est toute une tempête de neige** ! Ça m'a pris une heure et demie pour venir au bureau.

(JEAN-MARC)   –   Où as-tu garé ta voiture ?

(ÉLOÏSE)   –   J'ai dû garer ma voiture à six rues d'ici. En plus, **les trottoirs ne sont pas encore déneigés.**

(JEAN-MARC)   –   C'est incroyable ! À la radio, on a dit qu'**il est tombé vingt-cinq centimètres de neige**.

(ÉLOÏSE)   –   Oui et ce n'est pas fini ! **On annonce encore cinq centimètres de neige** aujourd'hui.

(JEAN-MARC)   –   Paul n'est pas encore arrivé au bureau ?

(ÉLOÏSE)   –   Non. Il a appelé pour dire qu'il sera en retard. **Il doit pelleter la neige** dans son entrée. Je pense que la journée va être très tranquille au bureau.

EXERCICE 5   *Complétez le dialogue.*

enneigées – être en vacances – fantastique – une belle tempête de neige – bonne nouvelle – idéale – les skis – beaucoup de plaisir – paysage

Vincent et Lucie sont en vacances dans leur chalet situé au nord de Montréal.

(VINCENT)   –   Quel temps _____ ! Les

pentes de ski sont toutes _____

_____ .

(LUCIE)   –   Oui, c'est _____ ! Je suis

contente d' _____ .

(VINCENT)   –   Où as-tu rangé _____ ?

(LUCIE)	– Ils sont dans la remise. Viens voir par la fenêtre !

Le _____ est superbe.

(VINCENT) – C'est incroyable ! À la radio, on a dit qu'il était tombé vingt-cinq centimètres de neige.

(LUCIE) – Oui et ce n'est pas fini ! On annonce encore cinq centimètres de neige aujourd'hui.

(VINCENT) – Quelle _____ !

(LUCIE) – Oui. C'est une journée _____

pour faire du ski. Je pense que nous allons avoir _____

_____ .

EXERCICE 6   *Pour chacun des mots en gras, trouvez un adjectif qui appartient à la même famille.*

Exemple : Il fait **soleil**.
Le temps est ensoleillé.

1. Il y a du **vent**.

Le temps est_____

2. La **pluie** tombe.

Le temps est_____

3. Il y a beaucoup de **nuages**.

Le temps est_____

4. Il y a de la **brume**.

Le temps est_____

5. Les nuages **couvrent** le ciel.

Le temps est_____

6. Il y a de l'**orage**.

Le temps est_____

LES ACTIVITÉS SAISONNIÈRES

EXERCICE 7   *Écrivez chaque affirmation sous la saison* correspondante.*

Affirmations	Informations complémentaires sur les verbes
– les bourgeons sortent	(verbe sortir, p.p. sorti)
– la neige fond	(verbe fondre, p.p. fondu)
– la neige tombe	(verbe tomber, p.p. tombé)
– les feuilles tombent	(verbe tomber, p.p. tombé)
– on pellette de la neige	(verbe pelleter, p.p. pelleté)
– il y a des vagues de grande chaleur	(verbe avoir, p.p. eu)
– on ramasse des feuilles	(verbe ramasser, p.p. ramassé)
– on prend des bains de soleil	(verbe prendre, p.p. pris)
– on bronze	(verbe bronzer, p.p. bronzé)
– les routes sont glacées	(verbe être, p.p. été)
– on déneige l'automobile	(verbe déneiger, p.p. déneigé)
– c'est la période du dégel	(verbe être, p.p. été)
– on vide la piscine	(verbe vider, p.p. vidé)
– on plante des fleurs	(verbe planter, p.p. planté)
– on ferme le chalet d'été	(verbe fermer, p.p. fermé)
– on tond le gazon régulièrement	(verbe tondre, p.p. tondu)

Le printemps...

_____

_____

_____

_____

L'été...

_____

_____

_____

_____

L'automne...

_____

_____

_____

_____

L'hiver...

_____

_____

_____

_____

*Le choix des articles
☞ Voir les Références grammaticales, pages 179 à 185.

TRÈS, TROP, FORT, UN PEU, BEAUCOUP

OBSERVEZ :

Il fait chaud.

| Il fait chaud. | Il fait **très** chaud. | Il fait **trop** chaud. |

Il fait froid.

| Il fait froid. | Il fait **très** froid. | Il fait **trop** froid. |

Il vente.

| Il vente **un peu**. | Il vente **fort**. | Il vente **très fort**. |

Il pleut.

| Il pleut **un peu**. | Il pleut **beaucoup**. | Il pleut **fort**. | Il pleut **très fort**. |

Il neige.

| Il neige **un peu**. | Il neige **beaucoup**. | Il neige **fort**. | Il neige **très fort**. |

Les adverbes **très**, **trop**, **fort**, **un peu** et **beaucoup** permettent de préciser la **quantité.**

Les combinaisons possibles sont :
- fort
- très fort
- un peu trop fort

- un peu
- un peu trop
- beaucoup trop

- trop fort
- beaucoup trop fort

EXERCICE 8   *Trouvez, dans chaque cas, l'expression qui convient et conjuguez le verbe à la bonne personne.*

être gelé – crever de chaleur – grelotter – suer – avoir la chair de poule

1. J'ai très très froid.

   Je _____

2. On a extrêmement chaud.

   On _____

3. Il tremble de froid.

   Il _____

4. Elle a froid et sa peau réagit.

   Elle _____

5. Tu as chaud et l'eau coule sur ton front.

   Tu _____

FAIRE BEAU – PLEUVOIR – NEIGER – VENTER

Présent

Passé ◄─────────────────────┼─────────────────────► Futur

Passé composé	Il a fait beau.	Il fait beau.	Il va faire beau.	**Futur immédiat**
Imparfait	Il faisait beau.		Il fera beau.	**Futur simple***
Passé composé	Il a plu.	Il pleut.	Il va pleuvoir.	**Futur immédiat**
Imparfait	Il pleuvait.		Il pleuvra.	**Futur simple**
Passé composé	Il a neigé.	Il neige.	Il va neiger.	**Futur immédiat**
Imparfait	Il neigeait.		Il neigera.	**Futur simple**
Passé composé	Il a venté.	Il vente.	Il va venter.	**Futur immédiat**
Imparfait	Il ventait.		Il ventera.	**Futur simple**

> *** Le futur simple**
> ☞ Voir les Références grammaticales, pages 244 et 245.

EXERCICE 9 *Mettez les verbes au futur simple.*

1. J'espère qu'il (neiger) _____ souvent l'hiver prochain.

2. Nous (ramasser) _____ des feuilles quand il ne (venter) _____ pas.

3. Je (faire) _____ ce casse-tête quand il (pleuvoir) _____

4. Demain, il (faire beau) _____

5. Mercredi, le temps (s'éclaircir) _____ dans l'après-midi.

6. Le temps (s'ennuager) _____ au cours de la fin de semaine.

7. Quand nous (aller) _____ en Floride, nous (prendre des bains de soleil) _____

8. Avec cette pluie, ils (être trempé jusqu'aux os) _____ _____

9. Selon le bulletin de météo, il ne (grêler) _____ pas ici.

10. Avec ces bottes, elle (ne pas avoir froid) _____ aux pieds.

11. La nuit prochaine, il (faire un froid de loup) _____

_____

12. Demain matin, le temps (se couvrir) _____

13. Les météorologues prévoient qu'il (tomber) _____ beaucoup de neige cet hiver.

14. Après le souper, vous (pelleter) _____ la neige devant la maison.

15. Elle (déneiger) _____ son automobile demain matin.

LA PROPOSITION CONDITIONNELLE AVEC SI AU PRÉSENT

OBSERVEZ :

S'il **fait** beau, j'**irai** dehors.
présent　futur simple*

S'il ne **fait** pas beau, je **resterai** à la maison.
présent　　futur simple

S'il **neige**, il **pellettera** son entrée.
présent　futur simple

S'il ne **vente** pas, nous **jouerons** au badminton.
présent　　futur simple

* Dans chacun des cas, on pourrait aussi utiliser le **futur immédiat**.
Exemple : S'il neige, il **va pelleter** son entrée.

Dans la proposition qui commence par **si**　→　utilisation du **présent**

Dans l'autre proposition　→　utilisation du **futur simple** ou du **futur immédiat**

EXERCICE 10　*Complétez les phrases suivantes en mettant les propositions conditionnelles (si) au présent de l'indicatif.*

1. S'il (pleuvoir) _____ , ils (aller) _____ magasiner.

2. S'il (venter) _____ , elle (faire) _____ de la planche à voile.

3. Si le temps (s'éclaircir) _____ , nous (souper) _____ dehors.

4. S'il (neiger) _____ , elles (faire) _____ du ski.

5. S'il (faire) _____ froid, nous (rester) _____ à la maison.

6. S'il (faire) _____ beau, nous (faire) _____ un barbecue.

7. S'il (neiger) _____ , les enfants (jouer) _____ dehors.

8. S'il (pleuvoir) _____ , je (mettre) _____ mon imperméable.

9. S'il (faire) _____ chaud, nous (aller) _____ à la plage.

10. S'il (faire) _____ très froid, ils (s'habiller) _____ chaudement.

L'UTILISATION DE L'IMPARFAIT

Quand on parle de la température, l'imparfait est utile pour indiquer la température qu'il fait au moment où se déroule l'événement passé que l'on raconte.

Exemples :   Il **faisait** très froid **quand** nous sommes allés en ski.

Il **pleuvait quand** elles sont allées au magasin.

Il **neigeait quand** je me suis réveillé.

Il **ventait quand** ils sont partis.

Nous sommes restés à la maison **parce qu'il faisait** froid.

Je suis allé au cinéma **parce qu'il pleuvait**.

Les enfants ont joué dehors **parce qu'il neigeait**.

Ils n'ont pas joué au badminton **parce qu'il ventait**.

EXERCICE 11   *Conjuguez les verbes aux temps appropriés (imparfait ou passé composé*).*

1. Il (venter) _____ quand j'(faire) _____ mon jogging.

2. Il (faire chaud) _____ quand nous (aller) _____ au marché.

3. Il (faire soleil) _____ quand elles (partir) _____

4. Il (pleuvoir) _____ très fort quand ils (sortir) _____ du magasin.

5. Il (neiger) _____ un peu quand je (se coucher) _____

6. Elles (faire) _____ de la planche à voile parce qu'il (venter) _____

7. Il n'(venir) _____ pas parce qu'il (faire froid) _____

8. Je (rester) _____ à la maison parce qu'il (neiger) _____ trop fort.

9. Elle (prendre) _____ l'autobus parce qu'il (pleuvoir) _____

10. Nous (se lever) _____ plus tôt parce qu'il (faire soleil) _____

---

* L'imparfait et le passé composé
☞ Voir les Références grammaticales, pages 232, 239 à 243.

EXERCICE 12 *Lisez attentivement.*

Des vacances mémorables

L'été passé, durant nos vacances, mon mari, mes enfants et moi avons décidé de partir quelques jours à la campagne pour faire du camping. Les deux premiers jours, il faisait très beau. Le ciel était bleu, le soleil brillait et il faisait très chaud. La deuxième nuit, il faisait tellement chaud que nous avons dormi à la belle étoile. Il faisait une température de rêve ! Cependant, le troisième soir, nous avons rapidement compris que le paradis n'existe pas sur terre...

Tout a commencé vers sept heures du soir. Le ciel s'est couvert, le temps est devenu gris et le vent s'est levé. Puis, vers huit heures, la pluie a commencé à tomber. Nous avons rangé toutes nos choses dans la tente et nous nous sommes couchés. Vers neuf heures, il pleuvait très fort. L'eau a commencé à s'infiltrer dans notre tente. Puis, l'orage a éclaté ! Les éclairs illuminaient le ciel et le tonnerre faisait trembler la terre. Il ventait si fort que nous avons eu peur de nous envoler.

Après une bonne heure de ce spectacle son et lumière, le temps est redevenu calme. La pluie a cessé, le vent est tombé et le ciel s'est dégagé. Mon mari et moi sommes sortis pour constater les dommages. Nous avons vu des branches d'arbres partout sur le sol et, à quelques mètres de notre tente, nous avons vu deux arbres déracinés. Nous avons passé une bonne partie de la nuit à tout nettoyer et nous sommes allés dormir dans l'automobile.

Le lendemain matin, nous avons décidé de rentrer à la maison. Je n'ai pas besoin de vous dire que, depuis cette aventure, le camping n'est plus une activité très populaire dans notre famille !

Répondez aux questions sur le texte.

1. Avec qui la narratrice est-elle partie en voyage ?

_____

2. Où sont-ils allés ?

_____

3. Quel temps faisait-il les deux premiers jours ?

_____

4. Le troisième soir, qu'est-il arrivé vers sept heures ?

_____

5. Qu'est-ce qui faisait trembler la terre?

_____

6. Pourquoi la famille a-t-elle eu peur de s'envoler?

_____

7. La narratrice compare l'orage à...

_____

8. Quels dommages l'orage a-t-il causés?

_____

9. Après l'orage, où la famille a-t-elle dormi?

_____

10. Qu'est-ce qu'ils ont décidé de faire le lendemain matin?

_____

THÈME 4

Les transports

RÉVISION   *Répondez aux questions.*

1. Complétez.

   a) Je vais _____ bureau.

   b) Je vais _____ dépanneur.

   c) Je vais _____ pharmacie.

   d) Je vais _____ restaurant.

   e) Je vais _____ banque.

2. Complétez.

   a) Il va au magasin _____ automobile.

   b) Il va au magasin _____ autobus.

   c) Il va au magasin _____ métro.

3. Conjuguez le verbe **aller** au passé composé.

   je _____   nous _____

   tu _____   vous _____

   il _____   ils _____

   elle _____   elles _____

4. Conjuguez les verbes aux temps demandés.

   a) Elle (attendre/présent) _____ l'autobus.

   b) Ils (attendre/présent) _____ le métro.

   c) (prendre/passé composé) _____ -tu _____ l'autobus ?

   d) Tu (prendre/futur immédiat) _____ le train.

   e) L'automobile (reculer/passé composé) _____

5. Identifiez les parties de l'automobile.

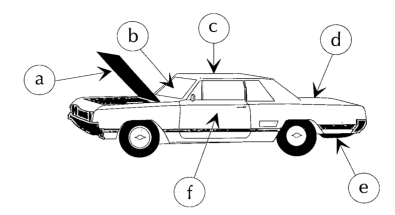

a) _____   d) _____

b) _____   e) _____

c) _____   f) _____

SUR LA TERRE, SUR LA MER, DANS LES AIRS

EXERCICE 1   *Complétez les phrases en choisissant un des adjectifs suivants.*

aérien (qui vole dans les airs) – routier (qui roule sur les routes) – nautique (qui est relatif à la navigation de plaisance) – spatial (qui voyage dans l'espace) – terrestre (qui se déplace sur la terre) – maritime (qui navigue sur la mer)

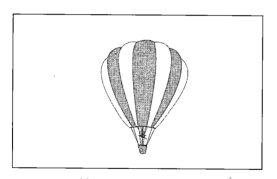

1. La camionnette est un véhicule

2. La fusée est un véhicule

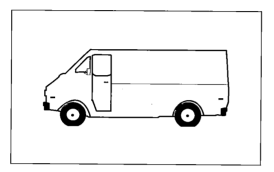

3. La montgolfière est un véhicule

4. Le camion est un véhicule

5. Le tracteur est un véhicule

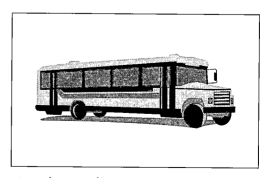

6. L'autobus scolaire est un véhicule

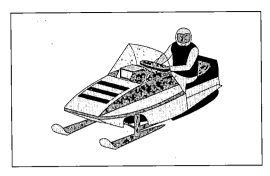

7. L'hélicoptère est un véhicule

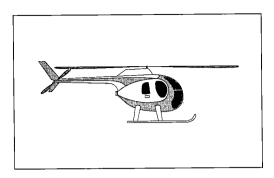

8. La motoneige est un véhicule

9. La motocyclette est un véhicule

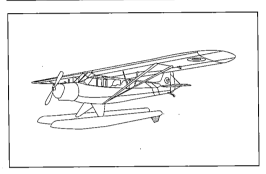

10. L'hydravion est un véhicule

11. Le paquebot est un véhicule

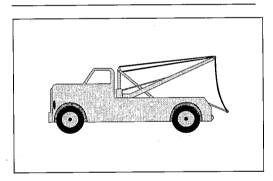

12. La dépanneuse est un véhicule

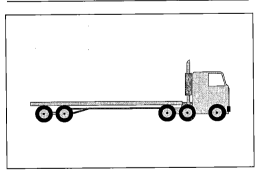

13. Le camion-remorque est un véhicule

14. Le voilier est un véhicule

LES MOYENS DE TRANSPORT D'HIER À AUJOURD'HUI

Les moyens de transport ont beaucoup évolué au 20ᵉ siècle.

OBSERVEZ:

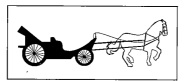

Avant, les gens **conduisaient** des voitures tirées par des chevaux.

Maintenant, les gens conduisent des automobiles.

Avant, les gens **lavaient** leurs chevaux.

Maintenant, les gens lavent leur automobile.

Avant, le bateau **était** le moyen de transport le plus rapide pour voyager d'un continent à l'autre.

Maintenant, l'avion est le moyen de transport le plus rapide pour voyager d'un continent à l'autre.

Avant, les trains **fonctionnaient** à la vapeur.

Maintenant, les trains fonctionnent à l'électricité.

Avant, les gens **prenaient** le tramway pour circuler dans la ville.

Maintenant, les gens prennent l'autobus ou le métro pour circuler dans la ville.

Avant, les gens **allaient** dans les bois en raquette ou en traîneau.

Maintenant, les gens vont dans les bois en motoneige.

Au 19ᵉ siècle, il n'y **avait** pas d'avion à réaction, il n'y **avait** pas d'hélicoptère, il n'y **avait** pas de fusée.

Maintenant, il y a des avions à réaction, il y a des hélicoptères, il y a des fusées.

L'IMPARFAIT

La formation de l'imparfait

		Exemple : **laver**
je...	radical + **ais**	je lav**ais**
tu...	radical + **ais**	tu lav**ais**
il/elle/on...	radical + **ait**	il/elle/on lav**ait**
nous...	radical + **ions**	nous lav**ions**
vous...	radical + **iez**	vous lav**iez**
ils/elles...	radical + **aient**	ils/elles lav**aient**

AVOIR – ÊTRE – ALLER – PRENDRE – CONDUIRE À L'IMPARFAIT

Avoir	**Être**	**Aller**
j'avais	j'étais	j'allais
tu avais	tu étais	tu allais
il/elle/on avait	il/elle/on était	il/elle/on allait
nous avions	nous étions	nous allions
vous aviez	vous étiez	vous alliez
ils/elles avaient	ils/elles étaient	ils/elles allaient

Prendre	**Conduire**
je prenais	je conduisais
tu prenais	tu conduisais
il/elle/on prenait	il/elle/on conduisait
nous prenions	nous conduisions
vous preniez	vous conduisiez
ils/elles prenaient	ils/elles conduisaient

EXERCICE 2 *Conjuguez les verbes à l'imparfait et au présent comme dans l'exemple.*

Exemple :

Avant...	Maintenant...
nous prenions l'autobus.	nous prenons le métro.
(prendre l'autobus)	(prendre le métro)

Avant...   Maintenant..:

1. il _____   il _____
   (prendre l'autobus)   (avoir une automobile)

2. j' _____   je _____
   (aller au bureau à pied)   (prendre le métro)

3. elle _____   elle _____
   (conduire vite)   (conduire plus lentement)

4. elle _____   elle _____
   (laver son auto tous les samedis)   (laver son auto une fois par mois)

5. il _____   il _____
   (être imprudent sur la route)   (être prudent sur la route)

6. tu _____   tu _____
   (prendre le métro)   (marcher)

7. nous _____   nous _____
   (marcher pour aller au dépanneur)   (prendre l'auto pour aller au dépanneur)

8. vous _____   vous _____
   (prendre souvent sa bicyclette)   (ne plus prendre sa bicyclette)

Lisez attentivement.

De la maison au travail

Quand on travaille à l'extérieur de la maison, le transport occupe une place importante dans l'horaire quotidien. Certaines personnes deviennent tellement fatiguées des problèmes de transport qu'elles déménagent plus près de leur travail. D'autres personnes quittent ou refusent un emploi parce que le déplacement est trop difficile. Plus on habite loin de son travail, plus les problèmes sont compliqués. Les moyens de transport ont beaucoup évolué au 20e siècle, mais on n'a pas encore inventé le moyen de transport idéal !

Voici quelques problèmes causés par le transport:
- être pris dans un embouteillage;
- tomber en panne;
- avoir une crevaison;
- manquer l'autobus/le train/le métro;
- l'autobus est en retard;
- une grève dans les transports en commun.

EXERCICE 3   *Conjuguez les verbes et complétez les phrases suivantes.*

1. Mon automobile (tomber en panne/passé composé) _____ , alors je

   _____

2. Elle (manquer l'autobus/passé composé) _____ et c'est

   pourquoi elle _____

3. L'autobus (être en retard/imparfait) _____ et c'est

   pourquoi il _____

4. Il y (avoir/imparfait) _____ une grève dans les transports en commun, alors nous

   _____

5. Ils (être pris dans un embouteillage/imparfait) _____ et ils

   _____

6. Son automobile (avoir une crevaison/passé composé) _____ et il

   _____

EXERCICE 4   *Encerclez, dans chaque cas, la réponse la plus prudente.*

Êtes-vous un automobiliste prudent ?

1. Vous conduisez et il pleut. Soudainement, un gros camion-remorque passe à côté de vous et il éclabousse votre pare-brise. Que faites-vous ?
   a) Vous klaxonnez.
   b) Vous accélérez jusqu'au camion-remorque, vous baissez votre fenêtre et vous criez des bêtises au chauffeur.
   c) Vous restez calme, vous accélérez la vitesse de vos essuie-glaces et vous pensez à autre chose.
   d) Vous prenez votre téléphone cellulaire et vous appelez la police.

2. C'est l'hiver et la rue est couverte de plaques de glace. Vous roulez à une vitesse moyenne et, soudainement, vous dérapez. Que faites-vous ?
   a) Vous freinez brusquement.
   b) Vous ne faites rien.
   c) Vous criez.
   d) Vous tentez de diriger les roues de votre auto dans la bonne direction.

3. Vous roulez et il y a un cycliste à votre droite. À la prochaine intersection, vous désirez tourner à droite. Quand vous arrivez à l'intersection, le feu de circulation est vert. Que faites-vous ?
   a) Vous attendez que le cycliste traverse l'intersection et ensuite vous tournez.
   b) Vous tournez immédiatement parce que le cycliste n'a pas priorité.
   c) Vous continuez tout droit parce que c'est trop dangereux de tourner.
   d) Vous criez des bêtises au cycliste.

4. Vous êtes sur un boulevard et quand vous arrivez à une intersection, il y a un feu rouge clignotant. Que faites-vous ?
   a) Vous ralentissez, mais vous n'arrêtez pas.
   b) Vous accélérez.
   c) Vous faites un arrêt comme si c'était un panneau d'arrêt.
   d) Vous arrêtez et vous attendez que le feu rouge clignotant devienne un feu vert clignotant.

Lisez attentivement.

Quel est le trajet ?

Le téléphone sonne. La secrétaire répond : « Bourbonnais et Associés, bonjour ! »

(LE CLIENT)	— Bonjour, Madame ! J'appelle pour fixer un rendez-vous avec M. Bourbonnais.
(LA SECRÉTAIRE)	— Certainement Monsieur. Pouvez-vous venir demain à deux heures ?
(LE CLIENT)	— Oui, c'est parfait.
(LA SECRÉTAIRE)	— Quel est votre nom ?
(LE CLIENT)	— Alain Vadeboncœur.
(LA SECRÉTAIRE)	— Connaissez-vous le trajet pour venir à notre bureau ?
(M. VADEBONCŒUR)	— Non, c'est la première fois que j'y vais.
(LA SECRÉTAIRE)	— Dites-moi, d'où partirez-vous ?
(M. VADEBONCŒUR)	— Je vais partir de mon bureau qui est situé rue Saint-Pierre.
(LA SECRÉTAIRE)	— D'accord. Pour venir ici, vous prenez le boulevard Léger, direction est. Vous allez tout droit jusqu'à la rue Dijon. À la rue Dijon, vous tournez à gauche. Au deuxième feu de circulation, vous tournez à droite, rue Dumas. Au premier arrêt, vous tournez à gauche, avenue Dalhousie. Nous sommes situés au 333, avenue Dalhousie.
(M. VADEBONCŒUR)	— Bon, je résume. Je prends le boulevard Léger, direction est. Je vais tout droit jusqu'à la rue Dijon. À la rue Dijon, je tourne à gauche. Au deuxième feu de circulation, je tourne à droite, rue Dumas. Au premier arrêt, je tourne à gauche, avenue Dalhousie. Votre bureau est au 333, avenue Dalhousie.
(LA SECRÉTAIRE)	— C'est exact !
(M. VADEBONCŒUR)	— Je vous remercie beaucoup, Madame. Je serai à votre bureau demain à deux heures.
(LA SECRÉTAIRE)	— Très bien, au revoir !

EXERCICE 5   *À l'aide de la liste qui suit, identifiez les illustrations.*

un feu de circulation – un tunnel – une sortie – une côte – un arrêt – un accès interdit – un pont – une courbe – un sens unique – tourner à gauche – tourner à droite – aller tout droit – le nord, le sud, l'est, l'ouest – la voie de gauche – la voie du centre – la voie de droite – être perdu – faire demi-tour

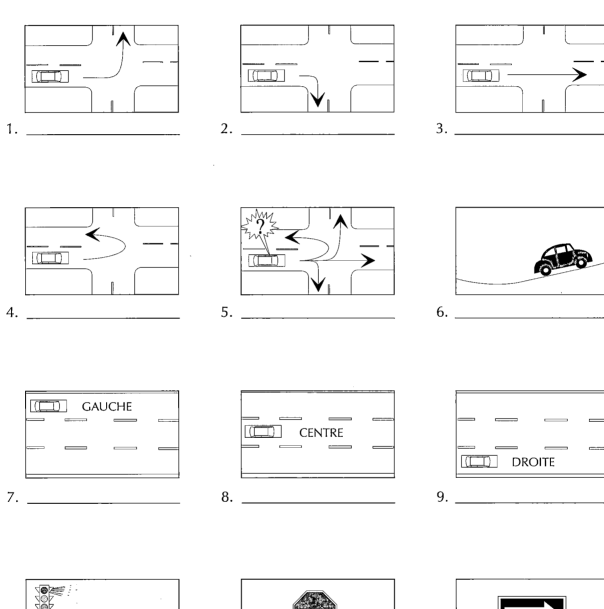

1. _____ 2. _____ 3. _____

4. _____ 5. _____ 6. _____

7. _____ 8. _____ 9. _____

10. _____ 11. _____ 12. _____

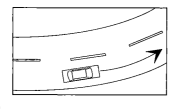

13. _____

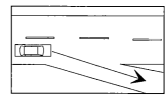

14. _____

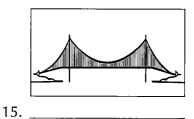

15. _____

16. _____

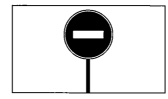

17. _____

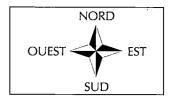

18. _____

EXERCICE 6   *À l'aide des expressions que vous avez étudiées à l'exercice 5, expliquez les trajets suivants.*

1. Le trajet qu'il faut suivre pour se rendre chez vous ou à votre lieu de travail.

_____

_____

_____

_____

2. Le trajet que vous devez suivre (en partant de votre domicile) pour vous rendre au centre commercial le plus près.

_____

_____

_____

_____

LE TRAIN

EXERCICE 7 *Complétez les phrases avec les mots de la liste qui suit.*

voie ferrée – wagons de passagers – wagons de marchandises – locomotive – gare

1. Le conducteur du train est assis dans la _____

2. Les personnes s'assoient dans les _____

3. On transporte les produits dans les _____

4. Le chemin qui est formé avec des rails se nomme la _____

5. Pour prendre le train, on va à la _____

EXERCICE 8 *Complétez l'histoire en conjuguant les verbes à l'imparfait.*

Avant les années cinquante, le train (être) _____ un moyen de transport très utilisé. Les gens qui (habiter) _____ dans des villages (prendre) _____ le train pour aller en ville. Très tôt le matin, sur le quai de la gare, il y (avoir) _____ des employés de bureau, des vendeurs, des ouvriers qui (attendre) _____ le train pour aller travailler en ville. Il y (avoir) _____ aussi des mères avec leurs enfants qui (prendre) _____ le train pour aller magasiner en ville. À cette époque, les grands boulevards et les grandes autoroutes n'(exister) _____ pas. Les gens qui (devoir) _____ aller en ville tous les jours (préférer) _____ prendre le train. C'(être) _____ le moyen de transport le plus rapide et le plus économique.

LES TRANSPORTS AÉRIENS

Les transports aériens ont beaucoup évolué au 20ᵉ siècle.

Au début...
il y avait des petits avions à hélices.

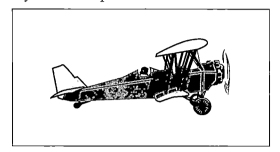

Ensuite...
il y avait des petits avions à réaction.

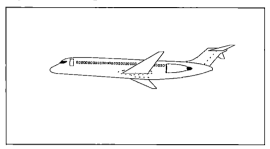

Maintenant...
il y a de gros avions à réaction,

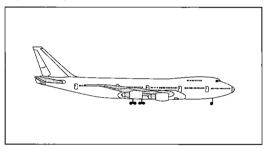

il y a des avions supersoniques,

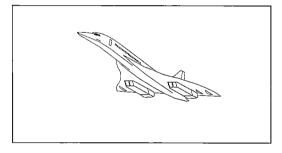

il y a des fusées,

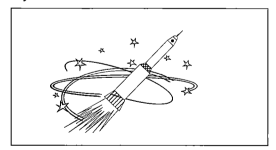

il y a des navettes spatiales.

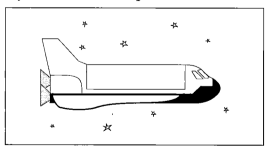

EXERCICE 9   *Complétez le texte en utilisant l'imparfait.*

Piérre et sa passion pour les avions

Quand il (être) _____ jeune, Pierre (aimer) _____ beaucoup les avions. Tous les jours, il (s'asseoir) _____ par terre dans sa chambre et il (jouer) _____ pendant des heures avec deux petits avions en plastique. Pierre (imaginer) _____ qu'il (être) _____ un grand pilote d'avion et qu'il (devoir) _____ voyager partout dans le monde. Pierre (placer) _____ un globe ter-restre au centre de sa chambre et il (faire) _____ voler ses avions autour du globe terrestre. Quand il (être) _____ dans sa chambre et qu'il (entendre) _____ le bruit d'un avion au-dessus de la mai-son, il (courir) _____ jusqu'à la fenêtre et il (regarder) _____ l'avion dans le ciel. Quand Pierre (avoir) _____ six ans et que les gens lui (demander) _____ : « Que veux-tu faire quand tu seras grand ? », Pierre (répondre) _____ : « Quand je serai grand, je serai pilote d'avion ! » Puis, pour ses dix ans, Pierre a reçu le plus beau cadeau de sa vie.

C'(être) _____ l'été et Pierre (jouer) _____ dehors. Il (faire) _____ très beau. Tout à coup, son père et sa mère sont arrivés avec une grosse boîte recouverte d'un papier d'emballage. Pierre a demandé à ses parents : « Qu'est-ce que c'est ? » Son père lui a dit : « Ouvre et tu verras ! » Pendant que Pierre (déballer) _____ la boîte, son cœur (battre) _____ très fort. Dans la boîte, il y (avoir) _____ un superbe avion téléguidé ! Pierre (crier) _____ et (sauter) _____ de joie.

Aujourd'hui, Pierre est pilote d'avion. Il ne s'amuse pas tous les jours comme quand il (être) _____ petit, mais l'avion est encore une passion pour lui.

LES VÉHICULES NAUTIQUES ET MARITIMES

Il existe plusieurs sortes de véhicules qui vont sur l'eau.

EXERCICE 10 *À l'aide de la liste, identifiez les véhicules.*

un pédalo – un yacht à moteur – une chaloupe – un cargo – un canot – un paquebot – un voilier

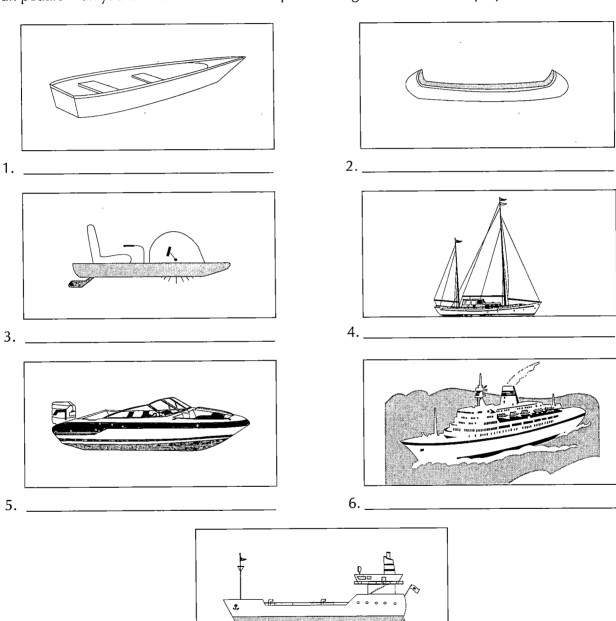

1. _____

2. _____

3. _____

4. _____

5. _____

6. _____

7. _____

EXERCICE 11   *Complétez le texte en utilisant l'imparfait.*

Dans l'ancien temps, le bateau (être) _____ le seul moyen de transport pour voyager d'un continent à l'autre. Les passagers (monter) _____ à bord et ils (envoyer) _____ la main aux personnes qui (être) _____ sur le quai. Certaines personnes n'(aimer) _____ pas voyager par bateau parce qu'elles (avoir) _____ le mal de mer. D'autres personnes ne (vouloir) _____ pas prendre le bateau parce que le voyage (durer) _____ trop longtemps. Traverser l'océan (pouvoir) _____ prendre des semaines ! C'(être) _____ une aventure qui ne (plaire) _____ pas à tous. Maintenant, voyager par bateau est beaucoup plus agréable. On peut faire des croisières sur des bateaux très luxueux et à des prix très abordables.

OBSERVEZ :

J'ai **une** automobile.	→	J'**en*** ai **une**.
Il a **un** hydravion.	→	Il **en** a **un**.
Ils ont **deux** motoneiges.	→	Ils **en** ont **deux**.
Elle **n'a pas** de bateau.	→	Elle n'**en** a **pas**.

* **Le pronom** *en*
☞ Voir les Références grammaticales, pages 218 à 220.

EXERCICE 12   *Répondez aux questions en utilisant le pronom* en.

1. Avez-vous une automobile ?

   Oui, j' _____

   Non, je _____

2. Avez-vous une motocyclette ?

   Oui, j' _____

   Non, je _____

3. Avez-vous un bateau ?

   Oui, j' _____

   Non, je _____

4. Avez-vous un hydravion ?

   Oui, j' _____

   Non, je _____

5. Avez-vous une motoneige ?

   Oui, j' _____

   Non, je _____

EXERCICE 13   *Répondez aux questions en utilisant le pronom* en.

Exemple : Au 15ᵉ siècle, est-ce qu'il y avait des motoneiges ?
Non, il n'y en avait pas.

1. Au 16ᵉ siècle, les gens avaient-ils des chevaux ?

_____

2. Au 18ᵉ siècle, les gens avaient-ils des automobiles ?

_____

3. En 1950, les gens mettaient-ils de l'essence dans leur automobile ?

_____

4. Au 16ᵉ siècle, les explorateurs avaient-ils des bateaux ?

_____

5. Au 17ᵉ siècle, est-ce qu'il y avait des fusées ?

_____

6. Au 15ᵉ siècle, est-ce qu'il y avait des métros ?

_____

7. Au début du 20ᵉ siècle, est-ce qu'il y avait des avions à hélice ?

_____

8. En 1870, est-ce qu'il y avait des trains ?

_____

EXERCICE 14 *Lisez attentivement.*

Votre automobile parle...

L'automobile est plus qu'un simple moyen de transport. Elle reflète bien souvent les goûts, la personnalité, la situation financière et les besoins de son propriétaire. Voyons d'un peu plus près tout ce que l'automobile peut signifier dans la vie d'une personne.

Étape 1 : L'achat de la première automobile
L'achat de la première automobile est toute une joie quand on est jeune. On a l'impression d'être enfin libre et autonome. On peut sortir quand on veut, aller où on veut et sans problème ! Même si c'est une auto d'occasion, elle représente la chose la plus importante dans la vie.

Étape 2 : Le travail et l'automobile
Quand on commence à travailler à plein temps, on a le goût d'acheter une automobile neuve. La première automobile ne fonctionne plus aussi bien qu'avant et elle n'est plus aussi belle qu'avant. On veut une automobile qui correspond plus à sa personnalité.

Étape 3 : La réussite et l'automobile
Après quelques années sur le marché du travail, on voit tous ses collègues de travail qui ont de belles automobiles et on a le goût d'acheter une automobile plus puissante et qui correspond plus à l'image de la réussite.

Étape 4 : La famille et l'automobile
Quand on a un ou deux enfants, il faut dire adieu à ses goûts de jeunesse. Asseoir deux adultes et deux enfants dans une petite automobile sport est un exploit très difficile à réussir ! On doit acheter une automobile plus spacieuse et plus pratique.

Étape 5 : La retraite et l'automobile
Les enfants sont arrivés au stade où ils peuvent acheter leur première automobile. On n'a plus besoin d'une familiale, mais on n'a plus le goût d'acheter une petite automobile sport comme quand on avait vingt ans. On veut une belle automobile confortable, mais qui ne coûte pas trop cher.

Répondez aux questions sur le texte.

1. L'automobile reflète quatre choses. Nommez-les.

   _____

2. Nommez les deux sentiments qu'on ressent quand on achète sa première automobile.

   _____

3. Quand a-t-on le goût d'acheter une automobile neuve?

   _____

4. Conjuguez à l'imparfait l'expression **avoir le goût.**

   _____   _____

   _____   _____

   _____   _____

5. À l'étape 3, quelle sorte d'automobile a-t-on le goût d'acheter?

   _____

6. Quand on a une famille, à quoi faut-il dire adieu?

   _____

7. Quand on a une famille, quelle sorte d'automobile faut-il acheter?

   _____

8. À l'étape 5, à quel stade sont arrivés les enfants?

   _____

9. À l'âge de la retraite, quelle sorte d'auto veut-on?

   _____

10. Conjuguez l'expression **avoir besoin d'une automobile** à l'imparfait.

   _____   _____

   _____   _____

   _____   _____

THÈME 5

Le travail

RÉVISION   *Répondez aux questions.*

1. Nommez les sept jours de la semaine.

_____   _____

_____   _____

_____   _____

_____

2. Conjuguez le verbe **travailler** au présent, au passé composé et au futur immédiat.

Présent

Passé ◄——————————————┼——————————————► Futur

Passé composé	Présent	Futur immédiat
_____	_____	_____
_____	_____	_____
_____	_____	_____
_____	_____	_____
_____	_____	_____
_____	_____	_____

3. Conjuguez le verbe **devoir** au présent, au passé composé et au futur immédiat.

Passé composé	Présent	Futur immédiat
_____	_____	_____
_____	_____	_____
_____	_____	_____
_____	_____	_____
_____	_____	_____
_____	_____	_____

4. Trouvez les questions.

a) _____

   Oui, je travaille.

b) _____

   Elle travaille trente-cinq heures par semaine.

c) _____

   Mon salaire est de quatorze dollars l'heure.

d) _____

   Je travaille à la compagnie Masson.

e) _____

   Je suis administrateur.

5. Complétez les phrases en conjuguant les verbes aux temps appropriés.

   a) Hier matin, je (arriver) _____ au bureau à huit heures.

   b) Hier après-midi, il (partir) _____ à trois heures.

   c) Ce matin, le téléphone (sonner) _____ , mais je n'(répondre) _____ pas _____.

   d) Tous les matins, elle (ouvrir) _____ le courrier.

   e) Habituellement, ils (faire) _____ une réunion le vendredi matin.

   f) Demain après-midi, tu (écrire) _____ une lettre à ce client.

   g) La semaine prochaine, elles (vérifier) _____ ces rapports.

LES INSTRUMENTS DE TRAVAIL

EXERCICE 1   *À l'aide de la liste qui suit, dites qui utilise les instruments de travail.*

un directeur bancaire/une directrice bancaire – un programmeur/une program-meuse – un exterminateur/une exterminatrice – un pompiste/une pompiste – un médecin/une médecin – un menuisier/une menuisière – un fleuriste/une fleuriste – un couturier/une couturière

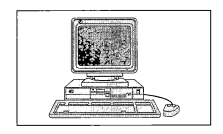

1. _____

2. _____

3. _____

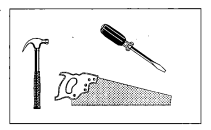

4. _____

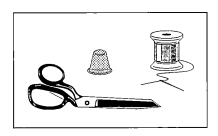

5. _____

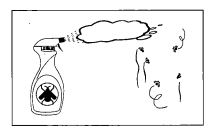

6. _____

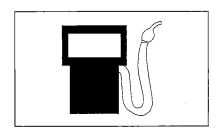

7. _____

8. _____

LA RECHERCHE D'UN EMPLOI

Quand on cherche du travail, il faut se poser des questions comme :

- Quelle sorte de travail est-ce que je recherche ?

    Est-ce que je recherche un poste à plein temps ?
    Est-ce que je recherche un poste à mi-temps ?
    Est-ce que je recherche un poste temporaire ?
    Est-ce que je recherche un poste de pigiste ?
    Est-ce que je recherche un emploi d'été ?

- Dans quel domaine est-ce que je veux travailler ?

    Est-ce que je veux travailler dans le domaine de la santé ?
    Est-ce que je veux travailler dans le domaine de l'informatique ?
    Est-ce que je veux travailler dans le domaine bancaire ?
    Est-ce que je veux travailler dans le domaine de l'aéronautique ?

- Quel type de poste est-ce que je recherche ?

    Est-ce que je recherche un poste de représentant ?
    Est-ce que je recherche un poste de directeur ?
    Est-ce que je recherche un poste de commis ?
    Est-ce que je recherche un poste d'analyste ?

- Quelle forme de rémunération est-ce que je recherche ?

    Est-ce que je veux avoir un salaire très élevé ?
    Est-ce que le salaire minimum me convient ?
    Est-ce que je veux être payé à la commission ?
    Est-ce que je veux avoir un salaire de base ?
    Est-ce que je veux avoir un salaire annuel garanti ?

EXERCICE 2   *Formulez des questions en utilisant* est-ce que...

1. _____

   Oui, elle recherche un poste à plein temps.

2. _____

   Oui, nous recherchons un emploi d'été.

3. _____

   Non, il ne recherche pas un poste de pigiste.

4. _____

   Non, je n'ai pas de salaire de base.

5. _____

   Oui, elles sont payées à la commission.

6. _____

   Oui, ils travaillent dans le domaine de l'informatique.

7. _____

   Oui, il recherche un poste de commis.

8. _____

   Non, il n'est pas directeur.

LE CURRICULUM VITÆ

Une fois qu'on a établi clairement le type d'emploi qu'on recherche, on peut entreprendre des démarches pour trouver un emploi.

La première chose à faire est de rédiger un curriculum vitæ. Votre curriculum vitæ doit répondre à certaines questions :

La section **Renseignements personnels** doit fournir les réponses aux questions suivantes :

- Quel est votre nom ?
- Quelle est votre adresse ?
- Quel est votre numéro de téléphone ?

La section **Formation** doit fournir les réponses aux questions suivantes :

- Quels sont vos diplômes ?
  - Avez-vous un diplôme d'études secondaires ?
  - Avez-vous un diplôme d'études collégiales ?
  - Avez-vous un diplôme d'études universitaires ?

- Quels sont les noms des établissements scolaires où vous avez étudié ?

- En quelle année avez-vous obtenu vos diplômes ?

La section **Expérience professionnelle** doit fournir les réponses aux questions suivantes :

- Où avez-vous travaillé ?
- Pendant combien de temps avez-vous travaillé à cet endroit ?
- Quel était votre titre ?
- Quelles tâches deviez-vous accomplir ?

EXERCICE 3   *En vous inspirant de la liste des questions mentionnées précédemment, trouvez les questions qui correspondent aux réponses.*

1. _____

    2828, rue Granger, Montréal, H1H 1A1.

2. _____

    Oui, j'ai un diplôme d'études secondaires.

3. _____

    J'étais secrétaire.

4. _____

    222-3882.

5. _____

    Je devais répondre au téléphone et taper des lettres.

6. _____

    Mon nom est Sophie St-Armand.

7. _____

    J'ai obtenu mon diplôme d'études secondaires en 1988.

8. _____

    Non, je n'ai pas de diplôme d'études collégiales.

9. _____

    J'ai étudié à l'école secondaire Sainte-Marie à Montréal.

10. _____

    J'ai travaillé à la compagnie Zapala pendant deux ans.

LA FORME ACTIVE ET LA FORME PASSIVE

OBSERVEZ:

Forme active	Forme passive
L'employeur **engage** l'employé.	L'employé **est engagé** par l'employeur.
L'employeur **congédie** l'employé.	L'employé **est congédié** par l'employeur.
L'employeur **paie** l'employé.	L'employé **est payé** par l'employeur.

La **forme active** → le sujet **fait** l'action.

Dans les trois exemples : l'employeur fait l'action...
- d'engager
- de congédier
- de payer

La **forme passive** → le sujet **subit** l'action.

Dans les trois exemples : l'employé subit l'action...
- d'être engagé
- d'être congédié
- d'être payé

COMMENT METTRE UN VERBE À LA FORME PASSIVE

Étape 1 : conjuguer l'auxiliaire **être** au temps désiré ;

Étape 2 : ajouter le **participe passé** du verbe désiré.

NOTEZ:

Avec l'auxiliaire **être**, le participe passé s'accorde en **genre** (masculin ou féminin) et en **nombre** (singulier ou pluriel) avec le sujet.

Exemples :   Il est payé.
Elle est payé**e**.
Ils sont payé**s**.
Elles sont payé**es**.

Exemples: **Étape 1:** auxiliaire **être**   **Étape 2:** participe passé

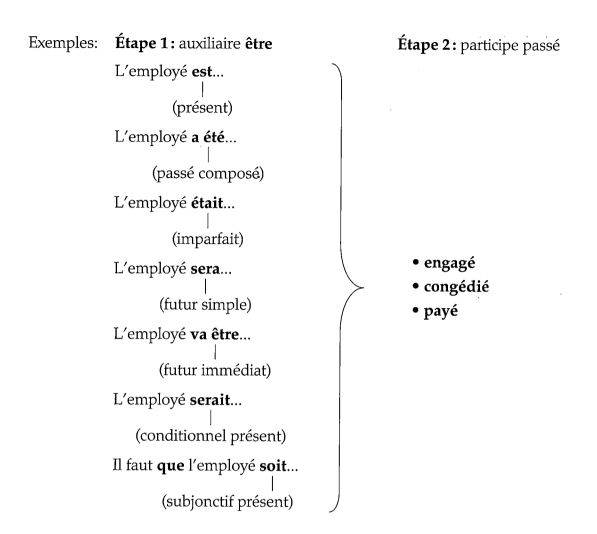

L'employé **est**...

|

(présent)

L'employé **a été**...

|

(passé composé)

L'employé **était**...

|

(imparfait)

L'employé **sera**...

|

(futur simple)

L'employé **va être**...

|

(futur immédiat)

L'employé **serait**...

|

(conditionnel présent)

Il faut **que** l'employé **soit**...

|

(subjonctif présent)

- **engagé**
- **congédié**
- **payé**

EXERCICE 4   *Mettez les phrases à la forme passive.*

Exemple: Le patron accepte sa demande.
          Sa demande est acceptée par le patron.

1. Le directeur engage Pierre.

   Pierre _____

2. Jean refuse l'offre de M. Beaupré.

   L'offre de M. Beaupré _____

3. Le service de la comptabilité envoie les factures.

   Les factures _____

4. Le président lit le discours.

   Le discours _____

5. Le syndicat représente les employés.

Les employés _____

6. Le journaliste rédige les articles.

Les articles _____

7. Le représentant vend les produits.

Les produits _____

8. Le comptable vérifie les chiffres.

Les chiffres _____

9. La caissière compte l'argent.

L'argent _____

10. Le technicien répare le photocopieur.

Le photocopieur_____

EXERCICE 5   *Complétez les phrases en utilisant la forme passive.*

1. Les directives (donner/présent) _____ par l'employeur.

2. Le travail (faire/présent) _____ par les employés.

3. Les employés (engager/passé composé) _____ par le directeur.

4. Elle (payer/imparfait) _____ chaque semaine.

5. Ils (congédier/passé composé) _____ il y a deux mois.

6. Il faut que sa demande d'emploi (envoyer/subjonctif présent) _____
_____ avant le 30 septembre.

7. S'il n'était pas bilingue, sa demande (refuser/conditionnel présent)

_____

8. Les horaires (modifier/futur immédiat) _____ bientôt.

9. Son salaire (augmenter/futur simple) _____ si elle obtient
une promotion.

10. De nouveaux postes (créer/futur simple) _____ d'ici un an.

EXERCICE 6   *Lisez attentivement.*

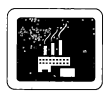

Le travail et l'économie

Il n'est pas toujours facile de **trouver un emploi** même si on a toute **la compétence** nécessaire. Durant **une récession, le marché du travail** est très **saturé**. Les entreprises ont souvent des **difficultés financières** et elles n'**engagent** pas de nouveaux employés. Certaines entreprises doivent **mettre à pied** plusieurs employés, d'autres sont obligées de **fermer leurs portes** et il y en a même qui **font faillite**. Les employés qui perdent leur emploi peuvent, à certaines conditions, recevoir **des prestations d'assurance-chômage** pendant qu'ils **cherchent un nouvel emploi**. Dans **un contexte économique** difficile, il faut avoir beaucoup de détermination et de patience pour trouver un emploi. Cependant, peu importe **la situation économique**, un candidat optimiste, dynamique et compétent a de très bonnes chances de trouver un emploi.

En vous inspirant du texte ci-dessus, complétez les phrases en encerclant les bonnes réponses.

1. Une personne qualifiée...
   a) trouve toujours un emploi.
   b) peut avoir de la difficulté à trouver un emploi.
   c) ne cherche pas d'emploi.
   d) ne quitte pas son emploi.

2. Durant une récession, ...
   a) le marché du travail est saturé.
   b) il est facile de trouver un emploi.
   c) les entreprises créent beaucoup de nouveaux emplois.
   d) le contexte économique est très bon.

3. Quand une entreprise a des difficultés financières, ...
   a) elle engage plus d'employés.
   b) elle ouvre ses portes.
   c) elle reçoit des prestations d'assurance-chômage.
   d) elle peut faire des mises à pied.

4. Quand une entreprise fait faillite, ...
   a) elle change ses portes.
   b) elle demande aux employés de marcher.
   c) les employés perdent leur emploi.
   d) les employés font une fête.

5. Quand on cherche un emploi et que la situation économique est difficile, ...
   a) il faut déprimer.
   b) il faut être patient et déterminé.
   c) il faut attendre que la situation change.
   d) il faut s'impatienter.

EXERCICE 7   *Lisez attentivement.*

Le chèque de paie

Le travail et l'argent sont deux facteurs indissociables : on travaille pour **gagner de l'argent** et on gagne de l'argent parce qu'on travaille ! Les formes de **rémunération** sont très variées. Dans les grandes entreprises, à l'exception des **cadres supérieurs**, les **employés** sont habituellement **syndiqués**. Le **syndicat** établit une **convention collective** qui contient tous les détails concernant les **conditions salariales** et les **avantages sociaux**. Dans les **petites et moyennes entreprises**, qu'on appelle les **PME**, les employés ne sont pas toujours syndiqués. Quand un employé n'est pas syndiqué, il doit négocier directement avec son **patron**. Les **professionnels** qui **travaillent à leur compte** ne reçoivent pas de **salaire**. Les professionnels touchent des **honoraires**.

Dans notre système, toutes les personnes qui travaillent doivent payer des **impôts**. Les impôts peuvent être **perçus à la source**, c'est-à-dire soustraits du **chèque de paie**, ou ils peuvent être payés à la fin de l'**année financière**.

Encerclez les réponses qui correspondent le plus à votre situation. Il n'y a pas de bonnes ou de mauvaises réponses, mais il y a des réponses plus sages que d'autres.

1. Comment recevez-vous votre chèque de paie ?
   a) Il est déposé automatiquement dans mon compte en banque.
   b) C'est l'employeur qui remet les chèques de paie.
   c) Je suis payé en argent comptant.
   d) Je ne reçois pas de chèque de paie parce que je travaille à mon compte.

2. Que faites-vous de votre paie lorsque vous la recevez ?
   a) Je paie mes comptes et je dépose le reste de l'argent dans un compte d'épargne.
   b) Je paie mes comptes et il ne me reste plus un sou.

c) Je dépense tout l'argent pour acheter des choses que j'aime.

d) Je rembourse le minimum réclamé sur les états de compte de mes cartes de crédit et je dépose le reste de l'argent dans un compte-chèques.

3. Imaginons que votre employeur vous dit: « Excusez-moi, mais je ne peux pas vous payer cette semaine. Je pourrai vous payer dans deux semaines. » Que faites-vous?

a) Vous donnez votre démission.

b) Vous le poursuivez en justice.

c) Vous acceptez la situation, car vous faites confiance à votre employeur.

d) Vous refusez d'aller travailler jusqu'à ce que votre employeur vous paie.

4. Sur un chèque de paie, quel pourcentage réservez-vous pour l'épargne?

a) Zéro pour cent.

b) Moins de cinq pour cent.

c) De cinq à dix pour cent.

d) Dix pour cent et plus.

5. Si vous vouliez avoir une augmentation de salaire, que feriez-vous?

a) J'irais voir mon patron et je discuterais avec lui.

b) Je demanderais à un collègue de parler au patron à ma place.

c) Je travaillerais plus fort pour montrer au patron que je suis très productif.

d) Je travaillerais moins fort pour montrer au patron que j'ai trop de travail pour le salaire qu'il me donne.

EXERCICE 8   *Trouvez un antonyme pour chaque verbe.*

1. économiser: _____

2. vendre: _____

3. engager (quelqu'un): _____

4. déposer (de l'argent): _____

5. gagner (de l'argent): _____

6. accepter: _____

7. envoyer: _____

8. emprunter: _____

EXERCICE 9   *Quelques devinettes...*

1. Elles ont des noms, elles sont grandes, petites ou moyennes, mais ce ne sont pas des êtres humains. Qui sont-elles ?

   _____

2. Sans lui, le travail serait du bénévolat. De quoi s'agit-il ?

   _____

3. Certaines personnes critiquent parce qu'elles en ont un (surtout le dimanche soir). D'autres critiquent parce qu'elles n'en ont pas. De quoi s'agit-il ?

   _____

4. Il contient des informations très personnelles et pourtant on l'envoie à plusieurs inconnus. De quoi s'agit-il ?

   _____

5. Ils arrivent chez vous chaque mois, même si vous ne les invitez jamais. Que sont-ils ?

   _____

EXERCICE 10   *Lisez attentivement.*

Faites-vous des économies ?

On essaie tous de faire des économies, mais ce n'est pas facile ! Une fois qu'on a payé son hypothèque ou son loyer, les assurances de la maison, les taxes municipales, provinciales et fédérales, il faut payer tous les autres comptes (le compte d'électricité, le compte de téléphone, le compte du câble, etc.). Il faut aussi payer toutes les factures des dépenses courantes (les factures d'épicerie, les factures de nettoyeur, les factures de pharmacie, etc.). En plus, il faut prévoir une somme d'argent pour l'automobile (l'essence, les assurances, l'immatriculation, le permis de conduire, les réparations). Ceux et celles qui ont des enfants doivent réserver une somme d'argent pour la gardienne ou la garderie, pour les vêtements, pour le matériel scolaire, etc. Cependant, malgré tous les comptes qu'on doit payer, plusieurs spécialistes du domaine financier disent qu'il est toujours possible d'épargner de l'argent, peu importe le revenu de la personne. Voici un petit conseil : quand vous recevez votre chèque de paie, la première chose que vous devez faire est de déposer un petit montant dans votre compte d'épargne (cinq, dix, vingt dollars). Si vous faites cela pendant toute l'année et chaque année, vous serez surpris de constater qu'il est possible d'économiser, même si votre revenu n'est pas très élevé. Essayez et vous verrez!

Répondez aux questions sur le texte.

1. Dans le texte, trouvez un verbe qui est synonyme d'**économiser**.

_____

2. Quelles sont les trois sortes de taxes qu'il faut payer?

_____

3. Comment appelle-t-on le prêt accordé pour une maison?

_____

4. Quelle expression est utilisée pour désigner les dépenses qui sont faites régulièrement?

_____

5. Quand on achète quelque chose, le caissier ou la caissière nous remet une...

_____

6. Nommez trois dépenses qui sont reliées à l'automobile.

_____

7. Dans le texte, trouvez les deux pronoms qui remplacent les mots **pères** et **mères**.

_____

8. Comment appelle-t-on les choses qu'on doit acheter pour l'école?

_____

9. Trouvez un synonyme du mot **salaire**.

_____

10. Dans le texte, on vous dit que, pour épargner, il faut...
    a) payer ses comptes et déposer le reste de l'argent dans un compte d'épargne.
    b) déposer un petit montant dans un compte d'épargne et ensuite payer ses comptes.
    c) déposer un petit montant quand c'est possible.
    d) déposer un gros montant une fois par année.

RÉVISION *Répondez aux questions.*

1. Quelle heure est-il ?

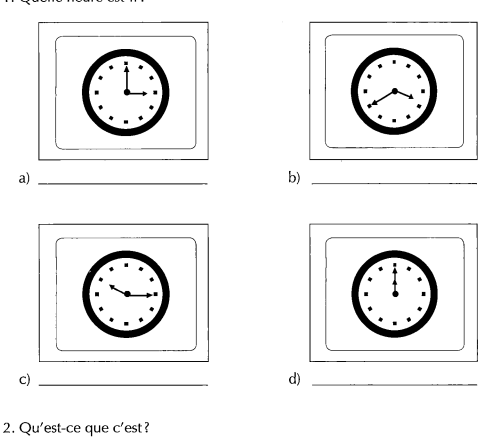

a) _____

b) _____

c) _____

d) _____

2. Qu'est-ce que c'est ?

a) _____

b) _____

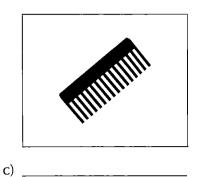

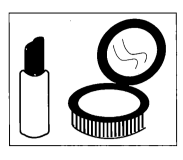

c) _____

d) _____

3. Conjuguez le verbe **se réveiller** au présent, au passé composé et au futur immédiat.

Présent

Passé ◄————————————————┼————————————————► Futur

Passé composé	Présent	Futur immédiat
_____	_____	_____
_____	_____	_____
_____	_____	_____
_____	_____	_____
_____	_____	_____
_____	_____	_____
_____	_____	_____

4. Conjuguez les verbes aux temps appropriés (présent, passé composé ou futur immédiat).

a) Hier soir, je (se coucher) _____ à dix heures.

b) Hier, il (préparer) _____ le souper à six heures.

c) En fin de semaine passée, j'(lire) _____ un bon livre.

d) Habituellement, elle (se laver) _____ le matin.

e) Habituellement, les enfants (se coucher) _____ vers neuf heures.

f) Demain soir, je (aider) _____ les enfants à faire leurs devoirs.

g) Demain, vous (faire) _____ la vaisselle.

h) Plus tard, il (regarder) _____ la télévision.

LES TÂCHES MÉNAGÈRES

Qui ne rêve pas d'avoir un ou une domestique qui ferait toutes les tâches ménagères qu'on doit faire et refaire régulièrement ?

Moi, si j'avais un domestique, ...

il ferait l'épicerie

il ferait la cuisine

il ferait la vaisselle

il ferait le lavage

il repasserait les vêtements

il ferait le ménage

il laverait les planchers   **il passerait l'aspirateur**

Pendant que mon domestique **ferait** les tâches ménagères, ...

• je **me reposerais**
• j'**irais** au cinéma
• j'**irais** au centre de conditionnement physique
• j'**irais** au restaurant avec mon conjoint
• je **sortirais** avec mes amis
• je **jouerais** avec mes enfants

LA PROPOSITION CONDITIONNELLE AVEC SI À L'IMPARFAIT

Dans la proposition qui commence par **si** → utilisation de l'**imparfait**

Dans l'autre proposition → utilisation du **conditionnel présent**[*]

OBSERVEZ :

Si j'avais un domestique, il **ferait** le ménage.
| | |
imparfait   conditionnel présent

Si j'avais un domestique, il **laverait** les planchers.
| | |
imparfait   conditionnel présent

Si j'avais un domestique, il **passerait** l'aspirateur.
| | |
imparfait   conditionnel présent

---

[*] Le conditionnel présent
☞ Voir les Références grammaticales, pages 246 à 248.

L'IMPARFAIT ET LE CONDITIONNEL

La formation de l'imparfait

On l'a vu précédemment, pour former l'imparfait, on procède de la façon suivante :

		Exemple : **laver**
je...	radical + **ais**	je lav**ais**
tu...	radical + **ais**	tu lav**ais**
il/elle/on...	radical + **ait**	il/elle/on lav**ait**
nous...	radical + **ions**	nous lav**ions**
vous...	radical + **iez**	vous lav**iez**
ils/elles...	radical + **aient**	ils/elles lav**aient**

La formation du conditionnel présent

Pour former le conditionnel, les terminaisons sont les mêmes qu'à l'imparfait; la différence est qu'au lieu d'utiliser le radical, on se sert de la **forme infinitive** du verbe pour conjuguer au conditionnel présent. Ainsi :

		Exemple : **laver**
je...	infinitif + **ais**	je laver**ais**
tu...	infinitif + **ais**	tu laver**ais**
il/elle/on...	infinitif + **ait**	il/elle/on laver**ait**
nous...	infinitif + **ions**	nous laver**ions**
vous...	infinitif + **iez**	vous laver**iez**
ils/elles...	infinitif + **aient**	ils/elles laver**aient**

AVOIR – ÊTRE – ALLER – FAIRE À L'IMPARFAIT

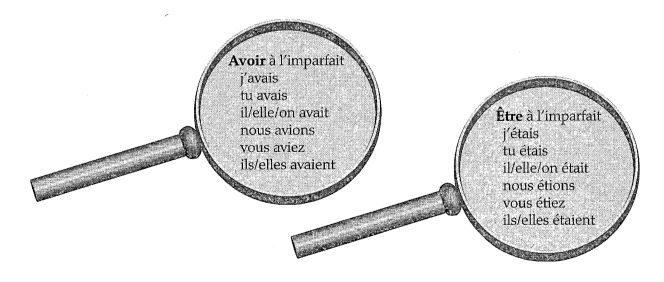

Avoir à l'imparfait
j'avais
tu avais
il/elle/on avait
nous avions
vous aviez
ils/elles avaient

Être à l'imparfait
j'étais
tu étais
il/elle/on était
nous étions
vous étiez
ils/elles étaient

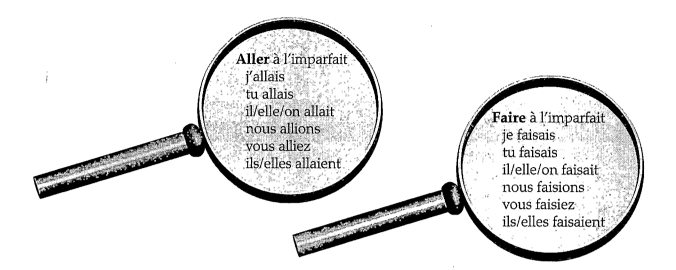

AVOIR – ÊTRE – ALLER – FAIRE AU CONDITIONNEL PRÉSENT

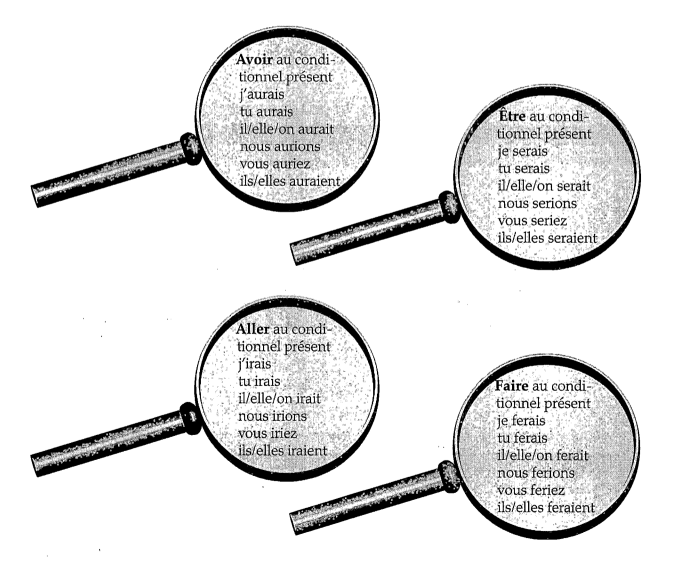

EXERCICE 1   *Si vous aviez un domestique, que ferait-il?* Vous pouvez vous inspirer des tâches qui ont été mentionnées, vous pouvez choisir des tâches dans la liste ci-dessous et vous pouvez ajouter d'autres tâches.*

aller chez le nettoyeur – aller chercher les enfants après l'école – laver l'auto – passer l'aspirateur dans l'auto – laver les fenêtres – tondre le gazon – s'occuper du jardin – sortir le chien – faire les lits – sortir les vidanges – laver le four

1. Si j'avais un domestique, ...

   il _____

   _____

   _____

   _____

   _____

   _____

2. Pendant que mon domestique ferait les tâches ménagères, ...

   je _____

   _____

   _____

   _____

   _____

   _____

Nous pouvons rêver et nous dire que si nous avions des domestiques, nous aurions plus de temps pour les loisirs. Cependant, dans la réalité, la plupart des gens n'ont pas de domestique. Il y a des gens qui ont une femme de ménage mais, habituellement, elle vient seulement quelques heures par semaine et elle n'a pas le temps de tout faire. En résumé, qu'on aime ou qu'on n'aime pas ça, il faut faire du ménage dans la maison!

* La question avec *que*
   ☞ Voir les Références grammaticales, pages 257 à 259.

LE SENS DE L'ORGANISATION

Il y a des personnes qui sont très organisées pour faire les tâches ménagères. Dès le lundi* matin, elles savent tout ce qu'elles doivent faire pendant la semaine. Elles savent que le mardi soir elles mangeront du pâté chinois, elles savent que le jeudi à cinq heures elles feront l'épicerie, elles savent que le samedi matin elles laveront le plancher, etc. Ces personnes ont le sens de l'organisation.

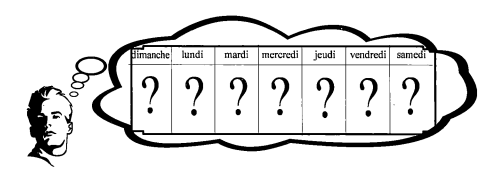

Il y a d'autres personnes qui n'ont pas le sens de l'organisation. Le lundi matin, elles ignorent ce qu'elles mangeront pour souper, elles ignorent quand elles feront l'épicerie et elles ignorent quand elles feront le ménage durant la semaine.

---

* L'utilisation des articles avec les noms de jours

☞ Voir les Références grammaticales, page 186.

EXERCICE 2 *Avez-vous le sens de l'organisation ?*

Geneviève a un bébé de trois mois, Stéphane, et un petit garçon de quatre ans, Sylvain. Geneviève n'a pas beaucoup le sens de l'organisation et elle vous dit : « Il faut que vous m'aidiez à planifier mes semaines. Dites-moi ce que vous feriez si vous étiez à ma place. »

1. Quand devrais-je faire l'épicerie ?

    Si j'(être) _____ à ta place, je (faire) _____ l'épicerie le

    (jour de la semaine) _____ vers (heure) _____ ...

    a) parce qu'il y a de bons rabais.
    b) parce qu'il n'y a pas beaucoup de monde.

    c) autre choix _____

2. Quand devrais-je faire la vaisselle ?

    Si j'(être) _____ à ta place, je (faire) _____ la vaisselle...

    a) le matin.
    b) l'après-midi.
    c) le soir.
    d) pendant que les enfants dorment.

    e) autre choix _____

3. Quand devrais-je préparer le souper ?

    Si j'(être) _____ à ta place, je (préparer) _____ le souper...

    a) le matin quand Sylvain est à la maternelle et que Stéphane fait une sieste.
    b) vers quatre heures pendant que les enfants jouent dans la cuisine.
    c) la veille.

    d) autre choix _____

4. Quand devrais-je aller au salon de coiffure ?

    Si j'(être) _____ à ta place, j'(aller) _____ au salon de coiffure...

    a) pendant que Sylvain est à la maternelle et j'amènerais Stéphane avec moi.
    b) le jeudi ou le vendredi soir et je demanderais à la voisine de garder les enfants.
    c) pendant l'après-midi avec Sylvain et Stéphane.

    d) autre choix _____

5. Quand devrais-je passer l'aspirateur?

   Si j'(être) _____ à ta place, je (passer) _____ l'aspirateur...

   a) pendant que les enfants dorment.
   b) pendant que les enfants jouent.
   c) pendant que Sylvain mange et que Stéphane boit son biberon.

   d) autre choix _____

6. Quand devrais-je faire le lavage?

   Si j'(être) _____ à ta place, je (faire) _____ le lavage
   (le matin/l'après-midi/le soir) _____ , (nombre de fois) _____
   fois par semaine.

7. Quand devrais-je préparer les biberons de Stéphane?

   Si j'(être) _____ à ta place, ...

   a) je (préparer) _____ tous les biberons le matin.

   b) je (préparer) _____ un biberon à la fois avant chaque boire.

   c) je (préparer) _____ tous les biberons la veille.

   d) autre choix _____

8. Quand devrais-je donner le bain à Stéphane?

   Si j'(être) _____ à ta place, je (donner) _____ le bain à
   Stéphane...

   a) en même temps que Sylvain prend son bain.
   b) pendant que Sylvain est à la maternelle.
   c) le soir quand Sylvain dort.

   d) autre choix _____

DEVOIR – POUVOIR – VOULOIR
AU CONDITIONNEL PRÉSENT SUIVIS D'UN INFINITIF

Devoir	**Pouvoir**	**Vouloir**
je devrais	je pourrais	je voudrais
tu devrais	tu pourrais	tu voudrais
il/elle/on devrait	il/elle/on pourrait	il/elle/on voudrait
nous devrions	nous pourrions	nous voudrions
vous devriez	vous pourriez	vous voudriez
ils/elles devraient	ils/elles pourraient	ils/elles voudraient
+	+	+
un verbe à l'infinitif	un verbe à l'infinitif	un verbe à l'infinitif

Exemples: Je **voudrais avoir** plus de temps pour étudier.

Tu **pourrais faire** la vaisselle pendant que je fais le ménage.

Elle **voudrait partir** à trois heures.

EXERCICE 3 *Conjuguez les verbes aux temps appropriés et complétez les phrases.*

1. Si j'(avoir) _____ un avion, je (pouvoir)_____

_____

2. Si tu (être) _____ plus riche, tu (pouvoir)_____

_____

3. Si je ne (travailler) _____ pas, je (pouvoir)_____

_____

4. Si vous n'(avoir) _____ pas d'auto, vous (devoir) _____

_____

5. Si on lui (donner) _____ dix mille dollars, elle (vouloir) _____

_____

6. Si vous (venir) _____ à la maison, nous (pouvoir) _____

_____

7. S'ils (aller) _____ à l'école, ils (devoir) _____

_____

8. Si nous (faire) _____ une pause-café, nous (pouvoir) _____

_____

EXERCICE 4   *Complétez les phrases en utilisant le verbe* pouvoir, vouloir *ou* devoir *comme dans l'exemple. Si vous le voulez, vous pouvez vous inspirer des activités qui sont suggérées.*

aller reconduire les enfants à l'école – aller chercher les enfants à l'école –
aller chez des amis – aller se promener un peu partout – ne rien faire – prendre
des vacances – nettoyer le garage – faire la grasse matinée – tricoter – terminer
le travail de bureau

Exemple :   Le matin, si j'avais plus de temps,
            je pourrais faire des œufs et du bacon pour déjeuner.

1. Le matin, si j'avais plus de temps, ...

je _____

_____

_____

_____

2. Le soir, si j'avais plus de temps, ...

je _____

_____

_____

_____

3. La fin de semaine, si j'avais plus de temps, ...

je _____

_____

_____

_____

EXERCICE 5 *Répondez aux questions suivantes.*

1. Complétez le texte en conjuguant les verbes à l'imparfait.

Quand j'(habiter) _____ à Montréal, je (travailler) _____ dans une agence de publicité. Le matin, j'(être) _____ toujours à la course. Je (commencer) _____ à travailler à huit heures. Si je ne (vouloir) _____ pas arriver en retard au bureau, je (devoir) _____ me lever à six heures. Je (se préparer) _____ en vitesse, j'(aller) _____ réveiller les enfants et je (devoir) _____ préparer le déjeuner pour toute la famille. À sept heures et quart, mon fils (partir) _____ pour l'école et j'(aller) _____ reconduire ma fille à la garderie.

2. Et vous, il y a cinq ans, quel était votre emploi du temps le matin ?

_____

_____

_____

_____

_____

_____

_____

_____

_____

_____

_____

_____

_____

_____

_____

_____

_____

_____

EXERCICE 6   *Répondez aux questions suivantes.*

1. Complétez le texte en conjuguant les verbes au conditionnel présent.

Si Marguerite pouvait prendre sa retraite, elle (arrêter) _____ de courir. Le matin, elle (aimer) _____ faire la grasse matinée. Idéalement, elle (se lever) _____ vers dix heures, elle (déjeuner) _____ tranquillement, elle (lire) _____ le journal et elle (aller) _____ se promener avec son chien. Vers une heure, elle (dîner) _____ et ensuite elle (faire) _____ une sieste. Dans l'après-midi, elle (jouer) _____ aux cartes avec ses amis et elle (faire) _____ toutes les activités qu'elle n'a pas le temps de faire présentement. Le soir, elle (regarder) _____ un peu de télévision, elle (téléphoner) _____ à ses enfants ou elle (aller) _____ au cinéma.

2. Si vous pouviez prendre votre retraite, qu'aimeriez-vous faire de vos journées?

_____

_____

_____

_____

_____

_____

_____

_____

_____

_____

_____

_____

_____

_____

_____

_____

_____

LA QUESTION AVEC À QUELLE HEURE, QUAND OU COMBIEN DE FOIS PAR...

OBSERVEZ:

Lorsque vous avez eu votre premier emploi...

À quelle heure...
- déjeuniez-vous?
- quittiez-vous la maison?
- vous couchiez-vous?

Avant d'avoir vos enfants...

Quand...
- faisiez-vous le ménage?
- voyiez-vous vos amis?
- vous leviez-vous?

Quand vos enfants étaient petits...

Combien* de fois par mois...
- laviez-vous le plancher?
- passiez-vous l'aspirateur?
- sortiez-vous avec vos amis?

*La question avec *combien*
☞ Voir les Références grammaticales, pages 262 à 264.

EXERCICE 7 *Formulez des questions en utilisant* à quelle heure, quand *ou* combien de fois par *(jour, semaine, année...).*

1. _____
   Je dînais à midi.

2. _____
   Ils étudiaient avant le souper.

3. _____
   Elle allait chez le dentiste une fois par année.

4. _____
   Je faisais la vaisselle deux fois par jour.

5. _____
   Nous nous levions à sept heures.

6. _____

Elle se couchait à onze heures.

7. _____

Nous nous rencontrions quand nous avions le temps.

8. _____

Il se réveillait à six heures.

9. _____

Il se rasait avant de déjeuner.

10. _____

Elle se maquillait avant d'aller travailler.

11. _____

Ils se voyaient trois fois par semaine.

12. _____

Elles s'appelaient trois fois par jour.

EXERCICE 8   *Que feriez-vous dans les situations suivantes ?*

1. Pendant que vous lavez la vaisselle, votre bague tombe dans le renvoi de l'évier.

   Si ma bague tombait dans le renvoi de l'évier, je _____

   _____

   _____

2. Vous désirez prendre une douche et vous découvrez qu'il n'y a plus d'eau chaude.

   Si je découvrais qu'il n'y a plus d'eau chaude, je _____

   _____

   _____

3. Vous avez un rendez-vous d'affaires très important et votre gardienne se décommande à la dernière minute.

   Si ma gardienne se décommandait à la dernière minute, je_____

   _____

   _____

4. Dans la soirée, votre chien veut aller dehors. Vers onze heures, vous découvrez que votre chien s'est sauvé.

Si mon chien se sauvait, je _____

_____

_____

_____

5. Votre enfant refuse d'étudier ses mathématiques pour l'examen du lendemain.

Si mon enfant refusait d'étudier pour un examen, je _____

_____

_____

_____

EXERCICE 9   *Répondez aux questions suivantes.*

1. Trouvez un antonyme pour chacun des verbes suivants.

a) accepter :   _____

b) savoir :   _____

c) salir :   _____

d) s'endormir :   _____

e) finir :   _____

f) paresser :   _____

2. Trouvez un synonyme pour chacun des verbes suivants.

a) prévoir (des activités) : _____

b) dire « non » :   _____

c) s'amuser :   _____

d) relaxer :   _____

e) ne pas savoir :   _____

f) s'enfuir :   _____

EXERCICE 10   *Lisez attentivement.*

Vite, il faut faire le ménage !

C'est samedi et il est une heure de l'après-midi. Viviane, Jean-Claude et leurs enfants, Éric et Lisa, mangent des hamburgers et des frites. Soudainement, le téléphone sonne. Viviane répond : « Allô ! »

(MME LEMIEUX)	–	Bonjour Viviane ! Ici Brigitte Lemieux, votre ancienne voisine.
(VIVIANE)	–	Bonjour Madame Lemieux ! Comment allez-vous ?
(MME LEMIEUX)	–	Très bien merci. Et vous ?
(VIVIANE)	–	Je vais très bien. Ça fait longtemps que nous n'avons pas eu de vos nouvelles.
(MME LEMIEUX)	–	Oui, je sais, mais mon mari et moi avons été très occupés. Dites-moi, que faites-vous ce soir ?
(VIVIANE)	–	Rien de spécial, pourquoi ?
(MME LEMIEUX)	–	Parce que nous aimerions aller vous voir.
(VIVIANE)	–	Euh... oui, c'est une bonne idée. À quelle heure voulez-vous venir ?
(MME LEMIEUX)	–	Disons vers sept heures.
(VIVIANE)	–	D'accord, nous vous attendons à sept heures.
(MME LEMIEUX)	–	À ce soir ! Au revoir !
(VIVIANE)	–	Au revoir !

Viviane raccroche le téléphone et dit à sa famille : « Vite, il faut faire le ménage ! Monsieur et madame Lemieux vont venir à la maison ce soir ! »

(JEAN-CLAUDE)	–	Es-tu sérieuse ?
(VIVIANE)	–	Est-ce que j'ai l'air de blaguer ?
(ÉRIC)	–	Ah non ! Je voulais aller chez mon ami Luc !
(VIVIANE)	–	C'est hors de question ! Nous avons des visiteurs ce soir et tout le monde va m'aider à faire le ménage ! Lisa, tu vas ranger ta chambre et tu vas m'aider à laver la vaisselle. Éric, tu vas ranger ta chambre et tu vas passer l'aspirateur dans la maison.
(JEAN-CLAUDE)	–	Bonne idée ! Moi, pendant ce temps-là, je vais faire une sieste !
(VIVIANE)	–	Très drôle ! Toi, Jean-Claude, tu vas aller à la pâtisserie et au marché. Ensuite, tu vas nettoyer les deux salles de bain.
(JEAN-CLAUDE)	–	Quelle joie ! Et toi, vas-tu faire quelque chose ?
(VIVIANE)	–	Décidément, tu es drôle aujourd'hui ! Moi, je vais faire la vaisselle avec Lisa, je vais ranger le salon, je vais laver le plancher de la cuisine et je vais m'occuper de tous les petits détails.

(LISA)   — Maman, pourquoi doit-on toujours faire le ménage à la course?

(VIVIANE)   — Je ne sais pas, ma chérie. Je pense que nous manquons d'organisation pendant la semaine. Demain, nous allons nous asseoir et nous allons planifier tout ce que nous devons faire pendant la semaine.

(ÉRIC)   — Bravo Lisa! À cause de ta question, nous allons être obligés de faire du ménage pendant la semaine!

(VIVIANE)   — Bon, ça suffit! Tout le monde au travail!

Répondez aux questions sur le texte.

1. Que mange la famille au moment où le téléphone sonne?

2. Quand Viviane répond au téléphone, qui est au bout du fil?

3. Qui sont les gens qui doivent aller chez Viviane?

4. Vers quelle heure doivent-ils arriver?

5. Qu'est-ce qu'Éric voulait faire dans l'après-midi?

6. Quelles sont les tâches ménagères qu'Éric doit faire?

7. Qui va aider Viviane à faire la vaisselle?

8. Qu'est-ce que Jean-Claude veut faire pendant que les autres font le ménage?

9. Nommez les choses que Jean-Claude doit faire.

10. Dimanche, que feront les quatre membres de la famille?

RÉVISION   *Répondez aux questions.*

1. Identifiez les objets suivants.

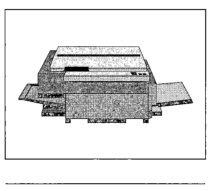

a) _____

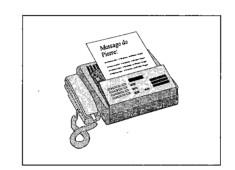

b) _____

c) _____

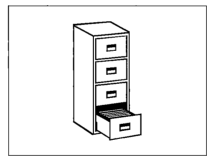

d) _____

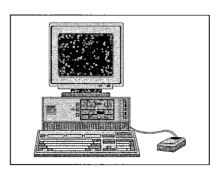

e) _____

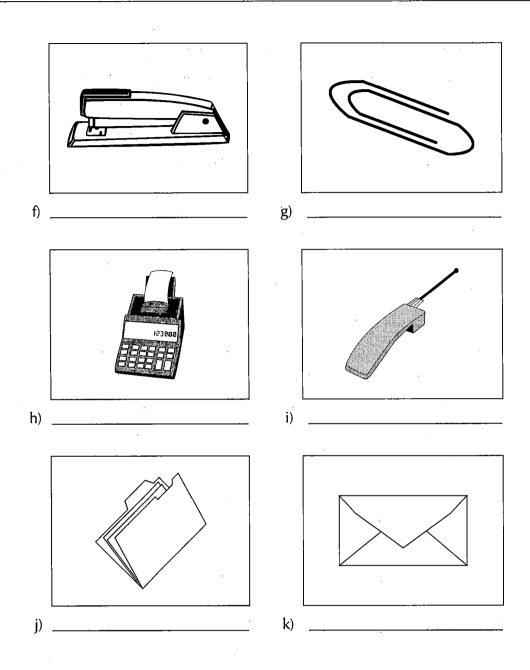

f) _____   g) _____

h) _____   i) _____

j) _____   k) _____

2. Répondez à la question en utilisant **c'est** ou **ce sont**.

Qu'est-ce que c'est?

a) (un crayon)   _____

b) (des ciseaux)   _____

c) (un photocopieur)   _____

d) (une calculatrice)   _____

e) (des classeurs)   _____

3. Conjuguez le verbe **ouvrir** au passé composé.

_____   _____

_____   _____

_____   _____

4. Conjuguez le verbe **avoir** au présent dans l'expression **avoir besoin d'un ordinateur.**

_____   _____

_____   _____

_____   _____

5. Répondez aux questions en utilisant le pronom **en.**

   a) Avez-vous un télécopieur?

   Oui, nous_____

   b) Fait-elle des photocopies?

   Oui, _____

   c) Achètes-tu du papier?

   Oui, _____

   d) Achètes-tu des enveloppes?

   Non, _____

   e) Louent-ils un photocopieur?

   Oui, _____

   f) A-t-il un ordinateur?

   Oui, _____

   g) Utilise-t-elle une calculatrice?

   Oui, _____

   h) Ont-elles des disquettes?

   Non, _____

LE TÉLÉPHONE

Dans un bureau, le téléphone est un instrument de travail très important. Tous ceux qui travaillent dans des bureaux seront d'accord pour dire qu'il est impensable de fonctionner sans téléphone.

Quand on est secrétaire ou représentant, il est très important de bien s'exprimer au téléphone. Il faut bien articuler, il faut émettre des messages clairs et il faut avoir de bonnes stratégies pour que le client écoute ce qu'on a à lui dire. Tout cela peut paraître simple quand on s'exprime dans sa langue maternelle. Cependant, quand on doit s'exprimer dans une langue seconde, ce n'est plus aussi simple ! Voici quelques conseils si vous devez parler au téléphone en français.

1. Ayez confiance en vous !
Plus vous pratiquerez votre français, plus vous aurez confiance en vous. Si vous n'essayez jamais de parler français avec un client, il est évident que vous ne réussirez jamais ! Pour commencer, parlez français dans des contextes de conversation générale comme « Bonjour, comment allez-vous ? », « Je regrette, mais M. X n'est pas à son bureau présentement... », « Mon nom est X et je vous appelle au sujet de notre promotion... ». Quand vous vous sentirez plus confiant et que vous serez plus habitué à parler français, vous pourrez avoir des conversations plus diversifiées.

2. Prenez une grande respiration avant de parler !
Quand le téléphone sonne et que vous devez répondre en français, prenez une grande respiration avant de décrocher le récepteur et gardez votre calme.

3. Parlez lentement et prononcez bien vos mots !
Quand on n'est pas habitué à parler une langue, il est important de parler lentement et de très bien prononcer les mots. Quand vous serez habitué, vous parlerez plus rapidement.

4. Écoutez votre interlocuteur !
Si votre interlocuteur parle français, soyez très attentif et cessez toute autre activité (ouvrir le courrier, taper une lettre, ranger des objets, etc.). Si vous ne comprenez pas tous les mots, essayez de capter l'essentiel du message. Quand vous n'êtes pas certain d'avoir bien compris, reformulez le message à votre interlocuteur et demandez-lui si vous avez bien compris. Plus vous écouterez parler des francophones, plus vous comprendrez facilement.

5. Soyez poli !
Quand on commence à parler une langue seconde, on est plus nerveux et on oublie souvent d'être poli. La politesse est essentielle dans toutes les langues. Pratiquez bien vos formules de politesse avant de parler au téléphone en français.

L'IMPÉRATIF PRÉSENT

Quand on veut donner des **conseils** ou des **ordres** à quelqu'un, on peut utiliser l'impératif présent.

La formation de l'impératif présent

Presque tous les verbes se conjuguent comme au présent de l'indicatif. Toutefois, l'impératif présent ne se conjugue qu'aux trois personnes à qui on s'adresse directement, c'est-à-dire :

		. Exemple : **finir**
2ᵉ personne du singulier	(tu)	finis
1ʳᵉ personne du pluriel	(nous)	finissons
2ᵉ personne du pluriel	(vous)	finissez

NOTEZ :

Pour les verbes du 1ᵉʳ groupe, il n'y a pas de **-s** final à la 2ᵉ personne du singulier.

Exemple : parl**er**
parle   (présent de l'indicatif : tu parl**es**)
parlons
parlez

QUELQUES VERBES À L'IMPÉRATIF PRÉSENT

Avoir	**Prendre**	**Parler**	**Écouter**	**Être**
aie	prends	parle	écoute	sois
ayons	prenons	parlons	écoutons	soyons
ayez	prenez	parlez	écoutez	soyez

L'impératif présent
☞ Voir les Références grammaticales, pages 234 à 238.

EXERCICE 1   *Conjuguez à l'impératif présent les verbes suivants.*

1. Regarder   2. Travailler   3. Répondre

_____

4. Finir   5. Faire   6. Aller

_____

EXERCICE 2   *Formulez un message en utilisant l'impératif.*

Exemple : Je te dis de déposer les enveloppes sur la table.
Dépose les enveloppes sur la table.

1. Je te dis de rappeler Pierre le plus tôt possible.

_____

2. Je vous dis de signer au bas de la première page du contrat.

_____

3. Je vous dis de lire le deuxième paragraphe.

_____

4. Je vous dis de venir à quatre heures.

_____

5. Je te dis d'aller chercher le dossier.

_____

6. Je vous dis de conserver la copie rose.

_____

7. Je vous dis de faire dix photocopies de ce document.

_____

8. Je te dis d'envoyer la documentation par la poste.

_____

LA CONVERSATION TÉLÉPHONIQUE AU BUREAU

Voici quelques phrases clés que vous pouvez utiliser durant vos conversations téléphoniques au bureau.

Si vous répondez au téléphone :

a) Si vous répondez pour l'entreprise :
  – (Nom de l'entreprise), bonjour !

b) Si vous répondez dans votre bureau :
  – (Votre nom), bonjour !

Si vous désirez connaître l'identité de votre interlocuteur :

a) Si l'appel est pour quelqu'un d'autre :
  – C'est de la part de qui, s'il vous plaît ?

b) Si l'appel est pour vous :
  – Puis-je savoir qui est à l'appareil ?

Si vous devez faire patienter votre interlocuteur :

  – Un moment, s'il vous plaît.
  ou
  – Un instant, s'il vous plaît.
  ou
  – M. X ou Mme X est déjà au téléphone. Désirez-vous patienter ?

Si vous devez prendre un message :

  – Je regrette, M. X ou Mme X n'est pas à son bureau en ce moment. Désirez-vous laisser un message ?
  ou
  – Je regrette, M. X ou Mme X est en réunion présentement. Aimeriez-vous lui laisser un message ?

Après avoir pris le message :

  – Très bien. Je lui remets votre message aussitôt que possible.

Si vous n'avez pas bien compris le nom ou le numéro de téléphone :

– Pouvez-vous répéter, s'il vous plaît ?

ou

– Pardon ?

ou

– Pouvez-vous épeler votre nom, s'il vous plaît ?

Si vous appelez dans un bureau :

– Bonjour, est-ce que je pourrais parler à M. X ou Mme X ?

ou

– Bonjour, j'aimerais parler à M. X ou Mme X, s'il vous plaît.

Quand la conversation est terminée :

– Merci. Au revoir !

ou

– Je vous remercie beaucoup. Au revoir !

EXERCICE 3   *Dans la liste ci-dessus, mémorisez les phrases clés qui peuvent vous être utiles dans votre travail.*

OBSERVEZ :

Où met-il **le porte-crayons** ? → Il **le*** met sur le bureau.

***Le** est un **pronom complément direct** qui remplace **le porte-crayons**.

Où met-il **l'agrafeuse** ? → Il **la*** met sur le bureau.

***La** est un **pronom complément direct** qui remplace **l'agrafeuse.**

Où met-il **les enveloppes** ? → Il **les*** met sur le bureau.

***Les** est un **pronom complément direct** qui remplace **les enveloppes**.

LES PRONOMS COMPLÉMENTS DIRECTS

	Singulier	**Pluriel**
1re personne	me	nous
2e personne	te	vous
3e personne	le, la, l'*	les

*devant une **voyelle** ou un **h muet**

> **Les pronoms compléments directs**
> ☞ Voir les Références grammaticales, pages 207 à 212.

EXERCICE 4   *Utilisez les pronoms compléments directs* le, la *ou* les.

Exemple : Elle cherche le dossier. Elle le cherche.

1. Elle tape la lettre. _____

2. Il photocopie le document. _____

3. Nous cherchons l'agrafeuse. _____

4. Il nettoie l'ordinateur. _____

5. Elle range les dossiers. _____

6. Elle donne les messages. _____

7. Il allume la lumière. _____

8. Il appelle Mme Larose. _____

9. Elle appelle ses clients. _____

10. Il cherche ses clés. _____

11. Elle imprime le rapport. _____

12. Elle écrit la lettre. _____

13. Il analyse le rapport. _____

14. Elle envoie les lettres. _____

15. Ils reçoivent la documentation. _____

EXERCICE 5   *Utilisez les pronoms compléments directs* le, la *ou* les.

Exemple : Elle a cherché l'agrafeuse. Elle l'a cherchée*.

1. Elle a tapé la lettre. _____

2. Il a photocopié le document. _____

3. Nous avons cherché les factures. _____

4. Il a nettoyé l'ordinateur. _____

5. Elle a rangé les dossiers. _____

6. Elle a donné les messages. _____

7. Il a allumé la lumière. _____

8. Il a appelé Mme Larose. _____

9. Elle a appelé ses clients. _____

10. Il a cherché ses clés. _____

11. Elle a imprimé le rapport. _____

12. Elle a écrit la lettre. _____

13. Il a analysé le rapport. _____

14. Elle a envoyé les lettres. _____

15. Ils ont reçu la documentation. _____

> *** L'accord du participe passé avec l'auxiliaire** *avoir*
> ☞ Voir les Références grammaticales, pages 213 à 215.

EXERCICE 6   *Utilisez les pronoms compléments directs le, la ou les.*

Exemple : Elle va taper la lettre demain matin.
Elle va la taper demain matin*.

1. Il va photocopier le document après le dîner.

_____

2. Il va nettoyer l'ordinateur samedi prochain.

_____

3. Il va appeler Mme Larose dès son retour.

_____

4. Elle va appeler ses clients la semaine prochaine.

_____

5. Elle va imprimer le rapport en fin d'après-midi.

_____

6. Elle va écrire la lettre ce soir.

_____

7. Il va analyser le rapport en fin de semaine.

_____

8. Elle va envoyer la documentation lundi prochain.

_____

> *** Les pronoms compléments directs et le futur immédiat**
> ☞ Voir les Références grammaticales, pages 216 et 217.

EXERCICE 7   *Dans la liste suivante, trouvez un antonyme pour chaque verbe.*

laisser – avoir confiance – perdre – cesser – fermer – partir – effacer – envoyer – raccrocher – se taire

1. décrocher (le récepteur) : _____

2. arriver : _____

3. parler : _____

4. écrire (un mot) : _____

5. prendre (un message) : _____

6. se méfier : _____

7. ouvrir : _____

8. recevoir : _____

9. conserver : _____

10. continuer : _____

LES CHIFFRES AU BUREAU

Avec une calculatrice, ...

on peut **additionner**.
Exemple : cinq **plus** trois.

on peut **soustraire**.
Exemple : cinq **moins** trois.

on peut **multiplier**.
Exemple : neuf **multiplié** par trois.

on peut **diviser**.
Exemple : neuf **divisé** par trois.

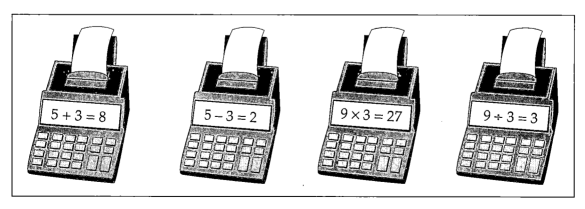

Cinq plus trois **égale** huit.

Cinq moins trois **égale** deux.

Neuf multiplié par trois **égale** vingt-sept.

Neuf divisé par trois **égale** trois.

EXERCICE 8   *Écrivez en lettres les symboles mathématiques et trouvez les réponses.*

Exemple : 8 − 2 = ?

   8 moins 2 égale 6

1. 4 + 7 = ?

   _____

2. 24 ÷ 6 = ?

   _____

3. 30 × 3 = ?

   _____

4. 57 − 6 = ?

   _____

5. 99 ÷ 9 = ?

   _____

6. 80 × 2 = ?

   _____

7. 340 + 50 = ?

   _____

8. 100 × 6 = ?

   _____

9. 2 000 ÷ 2 = ?

   _____

10. 100 000 × 5 = ?

   _____

11. 1 000 000 ÷ 10 = ?

   _____

12. 3 000 000 − 3 000 000 = ?

   _____

LES CHÈQUES

On dit que l'argent est un langage universel. Cependant, quand on doit faire un chèque, on se rend compte que ce n'est pas tout à fait vrai...

Si vous devez faire des chèques en français, apprenez rapidement les règles suivantes.

1. Les nombres **inférieurs à cent (100)** prennent un **trait d'union (-)**, sauf les nombres qui ont un **et**.

   Exemples :   (17) dix-sept

   (22) vingt-deux

   (35) trente-cinq

   (68) soixante-huit

   (81) quatre-vingt-un

   mais

   (21) vingt et un

   (31) trente et un

   (41) quarante et un

   (51) cinquante et un

   (61) soixante et un

   (71) soixante et onze

   < 100

2. Les nombres **supérieurs à cent (100)** ne prennent **pas de trait d'union (-)**.

   Exemples :   (101) cent un

   (214) deux cent quatorze

   (950) neuf cent cinquante

   > 100

En somme...

417 = quatre cent dix-sept

Justification :   quatre cents est supérieur (>) à cent

dix-sept est inférieur (<) à cent

NOTEZ :

Il ne faut pas dire : « Quatre cent dix-sept est supérieur à cent. »

Il faut dire :   « Quatre cents est supérieur à cent et dix-sept est inférieur à cent. »

Pourquoi ?   Parce que 417 est une addition : c'est quatre cents plus dix-sept (400 + 17).

Voici d'autres exemples :

219 = deux cent dix-neuf (200 + 19)

385 = trois cent quatre-vingt-cinq (300 + 85)

538 = cinq cent trente-huit (500 + 38)

1 467 = mille quatre cent soixante-sept (1 000 + 400 + 67)

2 621 = deux mille six cent vingt et un (2 000 + 600 + 21)

3. La règle de **vingt** et **cent**

   Vingt et **cent** vont prendre un **-s** à deux conditions :

   – ils doivent être multipliés ;

   – ils doivent terminer le nombre.

   Les deux conditions sont obligatoires.

   Exemples :

80 $:	quatre-vingts dollars
	→ Vingt est multiplié et il termine le nombre.
400 $:	quatre cents dollars
	→ Cent est multiplié et il termine le nombre.

   mais

20 $:	vingt dollars
	→ Vingt n'est pas multiplié.
85 $:	quatre-vingt-cinq dollars
	→ Vingt ne termine pas le nombre.
100 $:	cent dollars
	→ Cent n'est pas multiplié.
210 $:	deux cent dix dollars.
	→ Cent ne termine pas le nombre.

4. **Mille** est invariable.

   Exemple : deux mille

5. **Million** et **milliard** sont des noms. Ils vont prendre un **-s** quand ils sont utilisés au pluriel.

   Exemples :   deux millions

   deux milliards

EXERCICE 9   *Écrivez en lettres les nombres suivants.*

1. 20: _____

2. 100: _____

3. 140: _____

4. 280: _____

5. 678: _____

6. 999: _____

7. 1 015: _____

8. 5 795: _____

9. 10 000: _____

10. 300 000: _____

11. 1 000 000: _____

12. 2 000 000 000: _____

EXERCICE 10 *Lisez attentivement.*

La facture

(LA SECRÉTAIRE)	–	Fabritex, bonjour !
(LE CLIENT)	–	Bonjour, Madame ! J'aimerais parler à Mme Melançon du service de la comptabilité, s'il vous plaît.
(LA SECRÉTAIRE)	–	C'est de la part de qui ?
(LE CLIENT)	–	Michel Latour, de la compagnie Java.
(LA SECRÉTAIRE)	–	Un instant, Monsieur Latour.

...

(MME MELANÇON)	–	Marthe Melançon à l'appareil.
(M. LATOUR)	–	Bonjour, Madame ! Ici Michel Latour.
(MME MELANÇON)	–	Bonjour Monsieur Latour ! Que puis-je faire pour vous aider ?
(M. LATOUR)	–	Votre compagnie m'a envoyé un état de compte. Sur l'état de compte, vous indiquez que la facture numéro 00555 n'est pas payée, mais c'est une erreur. Nous avons déjà payé cette facture le mois dernier.
(MME MELANÇON)	–	Quel est le montant de la facture ?
(M. LATOUR)	–	Le montant est 285,00 $.
(MME MELANÇON)	–	Un instant, Monsieur. Je vais sortir votre dossier et je vous reviens tout de suite.

...

(MME MELANÇON)	–	Excusez-moi de vous avoir fait attendre. J'ai maintenant votre dossier sous les yeux et vous avez raison. Nous avons fait une erreur sur l'état de compte parce que je vois que la facture n° 00555 a été payée par chèque le mois dernier. Je vais, dès aujourd'hui, vous envoyer un nouvel état de compte. Nous nous excusons de cette erreur.
(M. LATOUR)	–	Ce n'est pas grave.
(MME MELANÇON)	–	Vous êtes bien aimable. Je m'occupe de cette affaire immédiatement.
(M. LATOUR)	–	C'est très bien, Madame. Au revoir !
(MME MELANÇON)	–	Au revoir !

Répondez aux questions sur le texte.

1. Quel est le nom du client?

_____

2. Où appelle-t-il?

_____

3. À qui veut-il parler?

_____

4. Que demande la secrétaire pour connaître l'identité du client?

_____

5. Que demande Mme Melançon pour savoir ce que veut M. Latour?

_____

6. Quand M. Latour a-t-il payé la facture n° 00555?

_____

7. Quel est le montant de la facture? (Écrivez le montant en lettres.)

_____

8. Mme Melançon doit faire patienter son client. Pour être polie, que lui dit-elle quand elle revient en ligne?

_____

9. Dans le texte, quelle expression est synonyme de **ce que vous dites est vrai.**

_____

10. M. Latour utilise une expression qui indique qu'il n'est pas fâché. Quelle est cette expression?

_____

THÈME *8*

Les voyages

RÉVISION *Répondez aux questions.*

1. Quels sont les cinq continents?

   _____   _____

   _____   _____

   _____

2. Placez **en** ou **au**.

   a) Je suis allé _____ France.

   b) Nous sommes allés _____ Allemagne.

   c) Elles sont allées _____ Suisse.

   d) Il est allé _____ Portugal.

   e) Vous êtes allés _____ Danemark.

3. Comment s'appellent les habitants des pays suivants?

   a) la France :   _____

   b) l'Italie :   _____

   c) l'Allemagne :   _____

   d) la Grèce :   _____

   e) l'Angleterre :   _____

4. Identifiez les objets suivants.

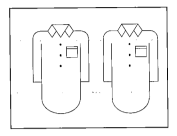

a) _____

b) _____

c) _____

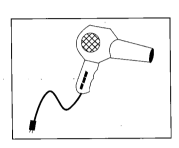

d) _____

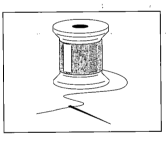

e) _____

5. Conjuguez le verbe **mettre** au présent, au passé composé et au futur immédiat.

Présent

Passé ◄————————————|————————————► Futur

Passé composé	Présent	Futur immédiat
_____	_____	_____
_____	_____	_____
_____	_____	_____
_____	_____	_____
_____	_____	_____
_____	_____	_____

6. Répondez aux questions en utilisant le pronom **y**.

   a) Est-il allé à Vancouver?
       Oui, _____

   b) Es-tu allé à Toronto?
       Oui, _____

   c) Va-t-elle au bord de la mer?
       Oui, _____

   d) Allez-vous à la campagne?
       Oui, nous_____

   e) Vont-ils aller en Europe?
       Oui, _____

   f) Vas-tu au Maroc?
       Non, _____

   g) Es-tu allé en Espagne?
       Non, _____

   h) Vas-tu aller au Nouveau-Brunswick?
       Non, _____

FAITES VOS VALISES

EXERCICE 1   *Parmi les voyages suivants, lequel vous plairait le plus et pourquoi ?*

- Un voyage organisé en Chine pendant deux semaines, tous frais payés.
- Un voyage pour deux au Japon pendant dix jours, tous frais payés.
- Un voyage organisé en Australie pendant un mois, mais le transport et les repas ne sont pas payés.
- Un voyage organisé au Brésil pendant douze jours, tous frais payés.
- Un voyage pour deux en Algérie et en Tunisie pendant un mois et demi, mais il faut payer la moitié des frais d'hébergement.
- Un voyage pour quatre en Floride pendant un mois et demi, dans un condominium très luxueux, tous frais payés.

_____

_____

_____

_____

EXERCICE 2   *Parmi les voyages suivants, lequel vous ferait le plus peur et pourquoi ?*

- Un séjour d'une semaine dans l'Arctique.
- Un safari de cinq jours dans la brousse africaine.
- Une excursion de deux semaines dans la jungle tropicale.
- Une excursion de dix jours dans le désert du Sahara.

_____

_____

_____

_____

EXERCICE 3   *Parmi les activités suivantes, laquelle correspond le plus à chaque endroit ? (Conjuguez les verbes au conditionnel présent.)*

se baigner dans la mer – visiter le musée du Louvre – acheter un boomerang en souvenir – aller voir des spectacles – photographier les Pyramides – se promener en gondole – parier de l'argent dans les casinos – faire de l'alpinisme

1. Si j'allais à Las Vegas, je _____

2. Si j'allais dans les Alpes, je _____

3. Si j'allais en France, je _____

4. Si j'allais à Venise, je _____

5. Si j'allais dans les Antilles, je _____

6. Si j'allais à New York, j' _____

7. Si j'allais en Égypte, je _____

8. Si j'allais en Australie, j' _____

LEQUEL – LAQUELLE – LESQUELS – LESQUELLES

Lequel, laquelle, lesquels et **lesquelles** sont des pronoms interrogatifs.

OBSERVEZ:

J'ai le choix entre deux **sacs de voyage.**
  |
  masculin

Lequel devrais-je emporter ?
  |
masculin singulier, parce qu'il faut choisir un sac

J'ai le choix entre plusieurs **activités.**
  |
  féminin

Laquelle devrais-je choisir ?
  |
féminin singulier, parce qu'il faut choisir une activité

Elle peut apporter plusieurs **livres.**
  |
  masculin

Lesquels devrait-elle apporter ?
  |
masculin pluriel, parce qu'elle peut apporter plusieurs livres

Il peut apporter plusieurs **cartes de crédit.**
  |
  féminin

Lesquelles devrait-il apporter ?
  |
féminin pluriel, parce qu'il peut apporter plusieurs cartes de crédit

---

EXERCICE 4   *Reformulez les questions en utilisant un pronom interrogatif (lequel, laquelle, lesquels ou lesquelles) comme dans l'exemple.*

Exemple : Quel hôtel est le plus luxueux ?
Lequel est le plus luxueux ?

1. Quel voyage coûte le moins cher ?

_____

2. Quelle chambre est la plus spacieuse ?

_____

3. Quel restaurant est le plus renommé ?

_____

4. Quelles villes ont-ils visitées ?

_____

5. Quelles églises ont-ils vues?

_____

6. Quels spectacles êtes-vous allés voir?

_____

7. Quels musées ont-elles visités?

_____

8. Quelle plage est la plus belle?

_____

EXERCICE 5   *Complétez les questions en utilisant un pronom interrogatif (*lequel, laquelle, lesquels *ou* lesquelles*).*

La veille de leur départ pour la Jamaïque, Janie et Maxime préparent leurs bagages.

1. (JANIE)   – J'ai six maillots de bain et je veux en emporter quatre. _____ devrais-je emporter?

2. (MAXIME) – Je dois emporter des chemises. _____ devrais-je choisir?

3. (JANIE)   – J'ai une veste de laine rouge et j'en ai une blanche. _____ serait la plus pratique?

4. (MAXIME) – Nous avons trois guides touristiques, mais je pense qu'un guide sera suffisant. _____ devrions-nous choisir?

5. (JANIE)   – Tu devrais emporter un de tes imperméables. _____ veux-tu emporter?

6. (MAXIME) – Je peux te prêter une de mes casquettes. _____ veux-tu?

Lisez attentivement.

Hôtel des Palmiers

Dring! Dring! Dring!

(LE PRÉPOSÉ) — Hôtel des Palmiers, bonjour!

(LE CLIENT) — Bonjour! Je voudrais **réserver une chambre** pour la semaine du 15 au 22 novembre et j'aimerais savoir ce que vous avez de disponible.

(LE PRÉPOSÉ) — Certainement. Désirez-vous **une chambre avec vue sur la mer?**

(LE CLIENT) — Oui.

(LE PRÉPOSÉ) — Très bien. Un instant, s'il vous plaît, je vais vérifier et je vous reviens tout de suite.

...

(LE PRÉPOSÉ) — Monsieur, vous êtes toujours en ligne?

(LE CLIENT) — Oui, oui!

(LE PRÉPOSÉ) — Bon! Je pourrais vous réserver une chambre avec vue sur la mer du 15 au 18, et du 19 au 22 je pourrais vous réserver une chambre avec vue sur le stationnement.

(LE CLIENT) — Je ne pense pas que ma femme serait très contente d'avoir une chambre avec vue sur le stationnement! Il y a trop de bruit et nous voulons nous reposer.

(LE PRÉPOSÉ) — Je regrette, Monsieur, mais ce sont les deux seules chambres qui sont disponibles.

(LE CLIENT) — Et en décembre, auriez-vous quelque chose?

(LE PRÉPOSÉ) — En décembre, **c'est complet.** Nous n'acceptons plus de **réservation.**

(LE CLIENT) — Dites-moi, **quel est le prix de la chambre** avec vue sur la mer?

(LE PRÉPOSÉ) — Le prix est de 210,00 $ par jour.

(LE CLIENT) — Quoi? 210,00 $ par jour! Et quel est le prix de la chambre avec vue sur le stationnement?

(LE PRÉPOSÉ) — Le prix est de 155,00 $ par jour.

(LE CLIENT) — Dites-moi, serait-ce possible de réserver la chambre avec vue sur le stationnement du 15 au 22?

(LE PRÉPOSÉ) — Certainement, Monsieur. Mais je pensais que votre femme voulait une chambre avec vue sur la mer. Vous devriez peut-être lui en parler...

(LE CLIENT) — Euh...oui mais, voyez-vous, c'est une question de principe: si je suis pour jeter mon argent par les fenêtres, je préfère le jeter dans le stationnement plutôt que de le jeter à l'eau!

SIX VERBES AU CONDITIONNEL PRÉSENT

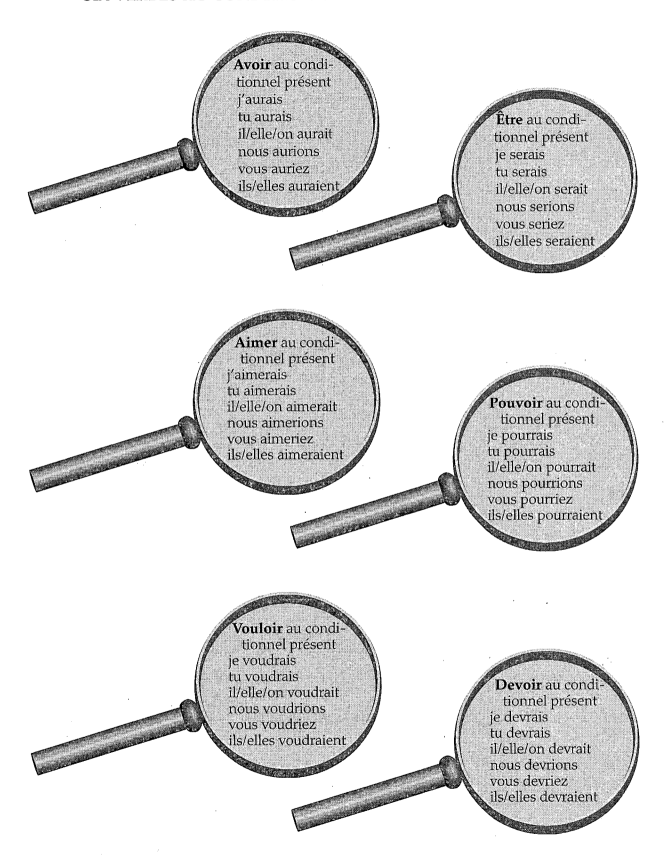

Avoir au condi-
tionnel présent
j'aurais
tu aurais
il/elle/on aurait
nous aurions
vous auriez
ils/elles auraient

Être au condi-
tionnel présent
je serais
tu serais
il/elle/on serait
nous serions
vous seriez
ils/elles seraient

Aimer au condi-
tionnel présent
j'aimerais
tu aimerais
il/elle/on aimerait
nous aimerions
vous aimeriez
ils/elles aimeraient

Pouvoir au condi-
tionnel présent
je pourrais
tu pourrais
il/elle/on pourrait
nous pourrions
vous pourriez
ils/elles pourraient

Vouloir au condi-
tionnel présent
je voudrais
tu voudrais
il/elle/on voudrait
nous voudrions
vous voudriez
ils/elles voudraient

Devoir au condi-
tionnel présent
je devrais
tu devrais
il/elle/on devrait
nous devrions
vous devriez
ils/elles devraient

EXERCICE 6   *Essayez de formuler au moins quatre phrases qui comportent un verbe conjugué au conditionnel présent.*

Vous et votre famille avez décidé de prendre une semaine de vacances. Vous appelez dans un hôtel pour réserver une chambre. Composez un court dialogue entre l'hôtelier et vous.

Voici quelques expressions que vous pourriez utiliser :

– Serait-ce possible de...
– Est-ce que vous pourriez me dire...
– J'aimerais savoir...
– Je voudrais...
– Auriez-vous...
– Pourriez-vous...

EXERCICE 7 *Complétez le texte en conjuguant les verbes au conditionnel présent.*

Josée et Yvon planifient leur voyage.

(YVON) — Josée, où (devoir) _____ -nous aller?

(JOSÉE) — Je ne sais pas. Nous (pouvoir) _____ regarder les brochures que nous avons prises à l'agence de voyages. Ça nous (donner) _____ peut-être des idées.

(YVON) — D'accord. Oh, regarde! Nous (pouvoir) _____ aller au Mexique.

(JOSÉE) — Nous sommes déjà allés au Mexique. Je (préférer) _____ découvrir un nouveau pays. Qu'est-ce que tu (dire) _____ d'aller en Égypte?

(YVON) — Si nous décidons de faire un grand voyage, j'(avoir) _____ plus le goût d'aller en Chine ou en Russie.

(JOSÉE) — D'accord, mais il (falloir) _____ savoir combien ça coûte. Nous (faire) _____ mieux de nous informer avant.

(YVON) — Tu as raison. Nous (devoir) _____ appeler pour savoir combien ça (pouvoir) _____ coûter.

ALLER AU CONDITIONNEL PRÉSENT

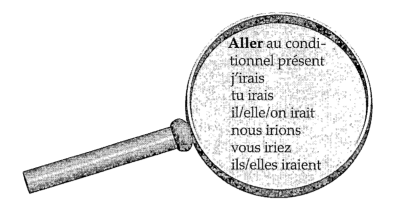

Aller au condi-
tionnel présent
j'irais
tu irais
il/elle/on irait
nous irions
vous iriez
ils/elles iraient

EXERCICE 8 *Complétez les phrases en conjugant le verbe* aller *au conditionnel présent et en choisissant les endroits qui sont nommés dans la liste.*

aller en Allemagne – aller au Lac-Saint-Jean – aller au Maroc – aller en Grèce – aller en France – aller en Chine – aller au Japon – aller en Inde

1. Si je voulais manger du pâté de foie gras et boire du bon vin, j' _____

2. Si elle voulait manger des souvlakis, elle_____

3. S'il voulait manger du riz au curry, il _____

4. Si nous voulions manger du couscous, nous_____

5. Si vous vouliez manger des sushis, vous _____

6. Si elles voulaient boire de la bière et manger de la choucroute, elles_____

   _____

7. Si tu voulais manger de la cuisine cantonaise, tu _____

8. Si on voulait manger de la tourtière, on_____

EXERCICE 9 *Complétez le texte avec les mots ci-dessous.*

plage – prudence – chambre d'hôtel – bijoux – lois – touriste – chèques de voyage – déclaration – passeport – douane – sac – voyage – argent

Quand on part en _____ , il est important de respecter certaines règles de _____

Règle numéro 1
Un _____ prudent devrait toujours avoir son _____ _____ sur lui.

Règle numéro 2
Il ne faut jamais laisser d'objets précieux dans la _____ , comme des _____ ou de l' _____

Règle numéro 3
Si une personne a des _____ , elle doit noter les numéros et bien cacher la feuille.

Règle numéro 4
Une personne qui est sur la _____ ne devrait jamais laisser son _____ sans surveillance.

Règle numéro 5
Quand une personne passe à la _____ , elle doit faire une _____ honnête. Les _____ varient beaucoup d'un pays à l'autre et il est dangereux de ne pas les respecter.

EXERCICE 10   *Répondez aux questions en utilisant le pronom y*.*

Exemple : Es-tu allé en Tunisie ?
          Oui, j'y suis allé.

1. Est-il allé en Floride ?

   Oui, _____

2. Êtes-vous allés en Allemagne ?

   Non, _____

3. Sont-elles allées au Brésil ?

   Oui, _____

4. Est-elle allée en Chine ?

   Non, _____

5. Aimeriez-vous aller au Japon ?

   Oui, nous _____

6. Voudrais-tu aller au Portugal ?

   Oui, _____

7. Voudriez-vous aller au Guatemala ?

   Non, je _____

8. Iriez-vous en Alaska ?

   Non, nous _____

9. Aimerait-il aller en Inde ?

   Non, _____

10. Vont-ils aller aux États-Unis ?

    Oui, _____

* Le pronom *y*
☞ Voir les Références grammaticales, pages 225 à 227.

QUI ET QUE

OBSERVEZ :

Paris est une ville **qui** est magnifique.

Paris est une ville **que** je trouve magnifique.

Qui et **que** sont deux **pronoms relatifs**.

Quelle est la différence entre **qui** et **que** ?

1. **Qui** → **sujet** du verbe dans la proposition relative

   Exemple :   Paris est une ville **qui** est magnifique.
   |
   (**commande** le verbe de la proposition relative)

2. **Que** → **n'est pas le sujet** du verbe dans la proposition relative

   Exemple :   Paris est une ville **que** je trouve magnifique.
   |
   (**ne commande pas** le verbe de la proposition relative ;
   (c'est **je** qui est le sujet de **trouve**)

Voici d'autres exemples :

   Il y a des monuments **qui** sont superbes.
   |
   (**commande** le verbe de la proposition relative)

   Il y a des monuments **que** tu trouverais superbes.
   |
   (**ne commande pas** le verbe de la proposition relative ;
   (c'est **tu** qui commande **trouverais**)

   J'ai fait un voyage **qui** est inoubliable.
   |
   (**commande** le verbe de la proposition relative)

   J'ai fait un voyage **que** je n'oublierai jamais.
   |
   (**ne commande pas** le verbe de la proposition relative ;
   (c'est **je** qui commande **oublierai**)

NOTEZ :

Que devient **qu'** devant une **voyelle** ou un **h muet**.

Exemple : Elle a fait un voyage **qu'**elle n'oubliera jamais.

EXERCICE 11 *Écrivez* qui *ou* que.

1. J'aime les hôtels _____ sont très luxueux.

2. Il y a des gens _____ préfèrent séjourner dans des petites auberges.

3. Avant de partir en voyage, je fais toujours une liste des choses _____ je dois emporter.

4. Je n'aime pas faire des voyages _____ durent trop longtemps.

5. Quand je voyage, j'aime acheter des choses _____ je ne peux pas trouver ici.

6. Je lui ai dit _____ j'irais le reconduire à l'aéroport.

7. Il prend l'avion _____ fait escale à Vancouver.

8. Nous devrions acheter un guide touristique _____ contient une liste des meilleurs restaurants.

9. J'ai oublié le nom de l'hôtel _____ vous m'avez recommandé.

10. Elle veut prendre le train _____ part à sept heures.

EXERCICE 12 *Lisez attentivement.*

Les voyages : un placement ou une dépense ?

Il y a des personnes qui disent que voyager est un luxe. Elles vous diront : « Tu pourrais t'acheter beaucoup de choses avec l'argent que tu dépenses pour tes voyages », « Tu devrais épargner ton argent », « Tu serais plus riche si tu voyageais moins. » Cependant, il y a des personnes qui aiment beaucoup voyager et elles considèrent les voyages comme une nécessité dans leur vie. Ces personnes vous diront : « Si je ne voyageais pas, je serais malheureux », « Si je restais à la maison, j'apprendrais bien moins de choses », « Si je ne partais pas en voyage, je ne me reposerais jamais. »

Une chose est certaine : de nos jours, il est possible de voyager sans se ruiner. Les compagnies aériennes offrent souvent des rabais sur les billets d'avion et il y a des agences de voyages qui proposent des forfaits très intéressants. Voici quelques conseils qui vous permettront de faire un voyage économique.

1. Avant de partir en voyage, ne dépensez pas une fortune pour acheter des vêtements. Emportez plutôt des vêtements que vous portez souvent et que vous trouvez confortables. Si vous ne voulez pas avoir mal aux pieds pendant votre voyage, évitez les souliers neufs !

2. Si vous allez dans un pays que vous n'avez jamais visité, documentez-vous avant de partir. Achetez un guide touristique, lisez des brochures, parlez à quelqu'un qui connaît bien ce pays. De cette façon, vous pourrez choisir des hôtels et des restaurants qui correspondent à votre budget.

3. Les prix des billets d'avion et des hôtels peuvent varier d'une saison à l'autre. Informez-vous avant de faire les réservations.

4. Préparez un budget pour les achats de souvenirs et respectez-le !

5. Choisissez un voyage qui correspond à vos besoins. Si vous avez besoin de repos, ne faites pas le tour de l'Europe ! Si vous n'aimez pas voyager avec des étrangers, ne partez pas en voyage organisé ! Si vous n'appréciez pas votre voyage, vous dépensez de l'argent inutilement.

Bon voyage !

Répondez aux questions sur le texte.

1. Dans le texte, quel verbe signifie le contraire d'**épargner**?

   _____

2. Dans le texte, quel nom utilise-t-on pour désigner une chose qui n'est pas nécessaire?

   _____

3. Dans le premier paragraphe, il y a cinq verbes qui sont conjugués au conditionnel présent. Nommez ces verbes à l'infinitif.

   _____   _____

   _____   _____

   _____

4. Quel verbe signifie qu'une personne perd tout son argent?

   _____

5. Trouvez un adjectif qui est relatif aux avions.

   _____

6. Comment s'appellent les commerces qui sont spécialisés dans les voyages?

   _____

7. Pourquoi faut-il éviter de porter des souliers neufs en voyage?

   _____

8. Comment appelle-t-on les livres qui nous renseignent sur des pays?

   _____

9. Nommez un facteur qui peut faire varier les prix des billets d'avion et des hôtels.

   _____

10. Quelle expression peut-on employer pour saluer quelqu'un qui part en voyage?

    _____

PARTIE II

Références grammaticales

1
La ponctuation

Les principaux signes de ponctuation sont les suivants :

1. Le point   .
2. La virgule   ,
3. Le deux-points   :
4. Le point-virgule   ;
5. Le point d'interrogation   ?
6. Le point d'exclamation   !
7. Les parenthèses   ( )
8. Les guillemets   « »

EXERCICE 1 *Identifiez les signes de ponctuation suivants.*

1. , _____   9. . _____

2. ? _____   10. , _____

3. . _____   11. ! _____

4. , _____   12. : _____

5. ; _____   13. , _____

6. : _____   14. ; _____

7. « » _____   15. . _____

8. ( ) _____

EXERCICE 2   *Répondez aux questions.*

Quand vous écrivez un texte...

1. Si vous posez une question, quel signe devez-vous placer à la fin de votre question ?

_____

2. Quand vous terminez une phrase affirmative, quel signe devez-vous placer à la fin de votre phrase ?

_____

3. Si vous faites une énumération, quel signe devez-vous placer avant de commencer l'énumération ?

_____

4. Si vous faites une énumération, quel signe devez-vous placer pour séparer les éléments que vous énumérez ?

_____

5. Si vous citez les paroles d'une personne, quel signe devez-vous placer au début et à la fin de la citation ?

_____

2

Les noms

Le nom désigne une **chose**, une **personne** ou un **animal**.

LE MASCULIN ET LE FÉMININ

La meilleure façon de savoir si un nom est féminin ou masculin est de regarder dans le dictionnaire. Cependant, il existe quelques règles générales qui permettent de savoir que certains groupes de noms sont masculins ou féminins.

LES NOMS MASCULINS

1. Les noms de **métaux** et de **corps chimiques élémentaires** sont masculins.

   Exemples : le fer   l'or pur
                le cuivre   l'argent pur

2. Les noms qui désignent des **langues** sont masculins.

   Exemples : le français
                le chinois

3. Les noms des **jours**, des **mois** et des **saisons** sont masculins.

   Exemples : le lundi
                un février très froid
                le printemps

4. Les noms d'**arbres** sont masculins.

   Exemples : un chêne
                un sapin

5. Les noms qui se terminent par **-ier, -in, -isme** et **-oir** sont masculins.

   Exemples : un cah**ier**   le capital**isme**
                un couss**in**   le pouv**oir**

LES NOMS FÉMININS

1. Les noms de **sciences** sont féminins.

   Exemples :   la biologie
               la chimie
               la médecine

2. Les noms qui se terminent par **-ade, -aie, -aine, -aison, -ande, -ence, -esse, -ille, -ise, -tion, -té** et **-ure** sont féminins.

   Exemples :   une promen**ade**   une am**ande**   une bê**tise**
               une cr**aie**   une ess**ence**   une situa**tion**
               une diz**aine**   la vi**tesse**   la beau**té**
               une li**aison**   une qu**ille**   une coup**ure**

EXERCICE 1   *En vous référant aux règles sur le masculin et le féminin, classez les noms suivants dans la colonne du masculin ou dans celle du féminin.*

bananier – jeudi – espagnol – économie – psychologie – polonais – érable – plomb – zinc – pommier – japonais – sociologie – aluminium – palmier – zoologie – chrome – allemand – dimanche – anthropologie – samedi – pin – sodium – mercredi – anglais – mercure – italien

Noms masculins   Noms masculins

_____   _____

_____   _____

_____   _____

_____   _____

_____   _____

_____   _____

_____   Noms féminins

_____   _____

_____   _____

_____   _____

_____   _____

_____   _____

_____   _____

EXERCICE 2 *En vous référant aux règles sur le masculin et le féminin, placez un ou une devant les noms suivants.*

1. _____ menuisier

2. _____ requin

3. _____ patin

4. _____ devoir

5. _____ protestantisme

6. _____ espoir

7. _____ douzaine

8. _____ maison

9. _____ présence

10. _____ absence

11. _____ hindouisme

12. _____ laine

13. _____ saison

14. _____ limonade

15. _____ poussin

16. _____ mouchoir

17. _____ proposition

18. _____ couloir

19. _____ plaie

20. _____ ballade

21. _____ morsure

22. _____ église

23. _____ bille

24. _____ coussin

25. _____ trottoir

26. _____ paresse

27. _____ tristesse

28. _____ vin

29. _____ cargaison

30. _____ catholicisme

31. _____ soulier

32. _____ socialisme

33. _____ centaine

34. _____ fille

35. _____ matin

36. _____ sentier

37. _____ adolescence

38. _____ courrier

39. _____ parade

40. _____ attention

41. _____ bouddhisme

42. _____ parenté

43. _____ dessin

44. _____ vérité

45. _____ dentier

46. _____ gentillesse

47. _____ vérification

48. _____ valise

49. _____ adresse

50. _____ brisure

51. _____ vitesse

LE PLURIEL

1. La majorité des noms → **nom + s** au pluriel.

   Exemples : un crayon → des crayon**s**
                un livre   → des livre**s**

2. Les noms avec **-s, -x** ou **-z** au singulier → même orthographe
   Les noms avec **-s, -x** ou **-z** au singulier → au pluriel.

   Exemples : un bas   → des bas
                une noix   → des noix
                un nez   → des nez

3. Les noms avec **-eau** au singulier → **-eaux** au pluriel.

   Exemples : un mant**eau** → des mant**eaux**
                un gât**eau**   → des gât**eaux**

4. La majorité des noms en **-al** au singulier → **-aux** au pluriel.

   Exemples : un journ**al** → des journ**aux**
                un anim**al**   → des anim**aux**

   mais

   Certains noms en **-al** au singulier → **-als** au pluriel.

   Exemples : un b**al**   → des b**als**
                un carnav**al** → des carnav**als**
                un festiv**al** → des festiv**als**

5. La majorité des noms en **-ou** au singulier → **-ous** au pluriel.

   Exemples : un f**ou** → des f**ous**
                un s**ou** → des s**ous**

   cependant

   Sept noms en **-ou** au singulier → **-oux** au pluriel :

                  bij**ou**   → bij**oux**
                  caill**ou** → caill**oux**
                  ch**ou**   → ch**oux**
                  gen**ou**   → gen**oux**
                  hib**ou**   → hib**oux**
                  jouj**ou**   → jouj**oux**
                  p**ou**   → p**oux**

EXERCICE 3 *Mettez au pluriel les noms suivants.*

1. un exercice   des_____

2. une question   des_____

3. une réponse   des_____

4. un cours   des_____

5. une classe   des_____

6. une table   des_____

7. un cahier   des_____

8. un tableau   des_____

9. une craie   des_____

10. un manteau   des_____

11. un foulard   des_____

12. un chapeau   des_____

13. un bas   des_____

14. un gant   des_____

15. un bijou   des_____

EXERCICE 4   *À l'aide de la liste qui suit, identifiez les outils en les écrivant au singulier et au pluriel.*

tournevis – marteau – agrafeuse – scie – clou – rouleau – pelle – pinceau

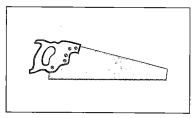

1. une ___scie___

   des _____

2. un ___tournevis___

   des _____

3. une ___pelle___

   des _____

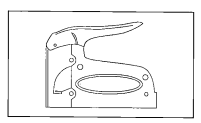

4. une ___agrafeuse___

   des _____

5. un ___marteau___

   des _____

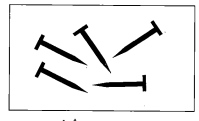

6. un ___clou___

   des _____

7. un ___pinceau___

   des _____

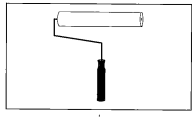

8. un ___rouleau___

   des _____

EXERCICE 5   *Répondez aux questions.*

1. Identifiez ces animaux.

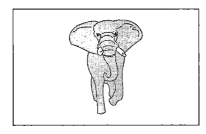

a) un _____

b) une _____

c) une_____

d) un _____

e) un_____

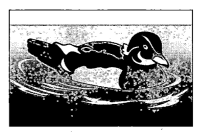

f) un _____

g) un_____

h) un _____

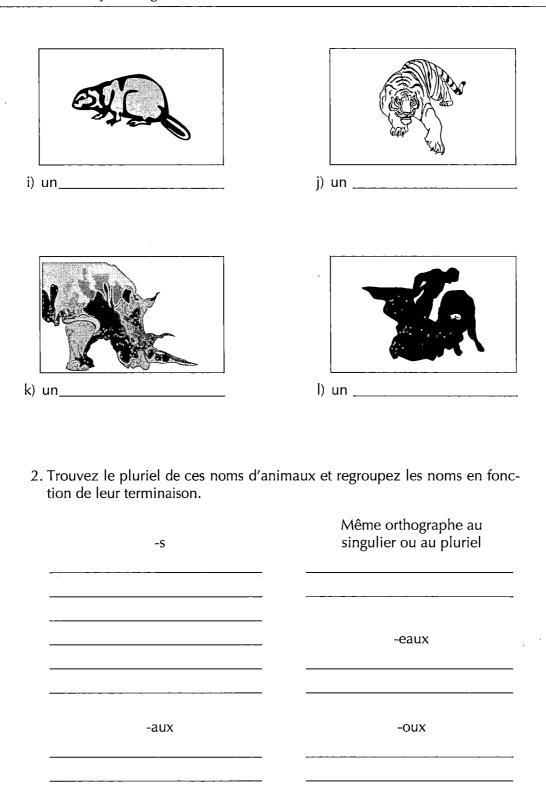

i) un_____

j) un _____

k) un_____

l) un _____

2. Trouvez le pluriel de ces noms d'animaux et regroupez les noms en fonction de leur terminaison.

-s	Même orthographe au singulier ou au pluriel
_____	_____
_____	_____
_____	
_____	-eaux
_____	_____
_____	_____
-aux	-oux
_____	_____
_____	_____

3

Les articles

LES ARTICLES DÉFINIS

	Masculin	Féminin
Singulier	le, l'	la, l'
Pluriel	les	les

L'article défini est utilisé devant un nom bien déterminé. Il permet d'individualiser le nom.

Exemples : J'aime **les chats**.
|
Il s'agit d'une espèce bien déterminée parmi les animaux.

La vie est magnifique !
|
Il s'agit d'un concept bien déterminé.

Où as-tu mis **les clés** ?
|
Il s'agit d'un objet connu par les personnes qui se parlent.

LES ARTICLES INDÉFINIS

	Masculin	Féminin
Singulier	un	une
Pluriel	des	des

L'article indéfini est utilisé devant un nom qui n'est pas individualisé.

Exemples :   J'ai vu **un film**.

On ne sait pas quel film. L'objet n'est pas complètement déterminé.

Elle a acheté **une chaise**.

On ne sait pas quelle chaise.

NOTEZ :

Dans une phrase à la forme négative, l'article indéfini est remplacé par **de**.

Exemples :   J'ai vu **un** film.   **mais**   Je n'ai pas vu **de** film.
             Elle a acheté **une** robe.   **mais**   Elle n'a pas acheté **de** robe.

UN ARTICLE DÉFINI OU UN ARTICLE INDÉFINI?

EXERCICE 1   *Répondez aux questions.*

1. Complétez en utilisant l'article défini ou l'article indéfini.

Marc est allé en voyage. Qu'est-ce qu'il a vu?

a) Il a vu _____ statue.

b) Il a vu _____ statue de la Liberté.

c) Il a vu _____ pont.

d) Il a vu _____ pont de Brooklyn.

e) Il a vu _____ rivière.

f) Il a vu _____ rivière Hudson.

2. D'après les informations que vous avez, où Marc est-il allé?

_____

EXERCICE 2   *Complétez le dialogue en plaçant des articles définis ou indéfinis.*

Sylvain, Viviane, Diane et Jean-Yves travaillent pour la même entreprise. Ils discutent ensemble pendant la pause-café.

(SYLVAIN)   – C'est bientôt _____ anniversaire de mon garçon. Je lui ai demandé ce qu'il voulait pour son anniversaire et il m'a dit qu'il voulait _____ chien.

(DIANE)   – _____ chien? Mais tu n'y penses pas! Il va salir toute _____ maison.

(VIVIANE)   – Si je ne me trompe pas, tu n'aimes pas _____ chiens.

(DIANE)   – En effet. Je trouve que _____ chiens ne sont pas propres. Ils mettent du poil partout dans _____ maison et ils sentent mauvais. En plus, ils jappent et ils dérangent _____ voisins.

(JEAN-YVES)   – Moi, j'aime tous _____ animaux. _____ chiens, _____ chats, _____ poissons peuvent être _____ amis très amusants pour _____ enfants.

(VIVIANE)   – Moi, j'aime beaucoup _____ oiseaux. Ça fait longtemps que je veux avoir _____ oiseau, mais mon mari ne veut pas.

(DIANE)   – Je le comprends. Quand on a _____ oiseau, il faut nettoyer _____ cage et changer _____ eau tous _____ jours. C'est beaucoup de problèmes.

(JEAN-YVES)   – Moi, j'aime beaucoup _____ animaux exotiques comme _____ perroquets, _____ iguanes, _____ serpents.

(VIVIANE)   – Décidément, nous ne sommes pas vraiment faits pour vivre ensemble!

(JEAN-YVES)   – Je suis bien content que tu le réalises!

(SYLVAIN)   – Bon, bon, ça suffit! J'ai assez de problèmes à _____ maison avec cette histoire de chien, je n'ai pas besoin que cela devienne aussi _____ problème au bureau. Retournons travailler!

LES ARTICLES CONTRACTÉS
AVEC LA PRÉPOSITION À

	Masculin	Féminin
Singulier	au, à l'	à la, à l'
Pluriel	aux	aux

Quand les articles définis **le** et **les** sont précédés de la préposition **à**, il y a une **contraction** :

$$\text{à + le = au}$$
$$\text{à + les = aux}$$

EXERCICE 3 *Dans chaque cas, trouvez l'article contracté qui convient.*

1. Le patron doit parler _____ employés.

2. Ils doivent téléphoner _____ clients.

3. Il a laissé un message _____ secrétaire.

4. Tu parles trop longtemps _____ téléphone.

5. Vous devez vous adresser _____ directeur.

6. Elle n'a pas envoyé la lettre _____ bonne adresse.

7. Il doit annoncer la nouvelle _____ début de la réunion.

8. Ils pourront poser des questions _____ fin de la réunion.

9. J'ai oublié mon porte-documents _____ maison.

10. Je dois retourner _____ bureau cet après-midi.

LES ARTICLES PARTITIFS

	Masculin	**Féminin**
Singulier	du, de l'	de la, de l'
Pluriel	des	des

Les articles partitifs sont formés de la préposition **de** suivie de l'**article défini** :

$$de + le = du$$

$$de + les = des$$

On utilise l'article partitif devant les noms des objets qui ne peuvent pas se compter.

Exemples : **du** travail
de la peine
de l'eau
des sucres

NOTEZ :

Dans une phrase à la forme négative, l'article partitif est remplacé par **de** ou **d'**.

Exemples :

Il a **du** travail à faire.	**mais**	Il n'a pas **de** travail à faire.
Elle a **de la** peine.	**mais**	Elle n'a pas **de** peine.
Il veut **de l'**eau.	**mais**	Il ne veut pas **d'**eau.
Cet aliment contient **des** sucres.	**mais**	Cet aliment ne contient pas **de** sucres.

EXERCICE 4   *Écrivez les articles partitifs appropriés.*

1. J'ai renversé _____ encre sur la table.

2. Je dois acheter _____ colle pour réparer cette tasse.

3. Il y a _____ vaisselle qui traîne sur tous les comptoirs.

4. Elle est partie acheter _____ eau de Javel.

5. J'ai oublié d'acheter _____ assouplisseur.

6. Tu dois frotter cette tache avec _____ savon.

7. Il y a _____ électricité statique dans ces chandails.

8. Elle cherche _____ fil noir pour raccommoder son bas.

9. Il y a _____ poussière sur cette lampe.

10. Il écoute toujours _____ musique quand il fait _____ ménage.

EXERCICE 5   *Trouvez les articles appropriés.*

Ce matin, j'ai bu _____ jus d'orange et j'ai mangé _____ céréales. Et vous? Avez-vous déjeuné? Moi, je connais _____ personnes qui ne déjeunent pas. Pourtant, il est important de prendre _____ bon déjeuner. Depuis qu'elle travaille, ma sœur ne déjeune jamais. _____ matin, elle boit _____ café, mais elle ne mange rien. Je lui ai dit: «Pourquoi tu ne manges pas _____ fruit, _____ rôtie avec _____ beurre d'arachide ou bien _____ gruau?» Elle m'a répondu: «Je ne mange pas parce que je n'ai pas faim _____ matin!» Je n'ai pas voulu insister, mais je suis convaincu qu'elle serait plus en forme si elle prenait _____ bon déjeuner.

L'OMISSION DE L'ARTICLE

1. Avec un **nom collectif partitif**, on omet l'article **devant le nom complément**. On place **de**.

   Exemples :   J'ai rencontré des musiciens.

   mais

   J'ai rencontré un groupe **de** musiciens.

   nom collectif   nom complément

   Il a des moutons.

   mais

   Il a un troupeau **de** moutons.

   nom collectif   nom complément

2. Avec un **adverbe de quantité**, on omet l'article devant le **nom complément**. On place **de**.

   Exemples :   Il y a des personnes.

   mais

   Il y a beaucoup **de** personnes.

   adverbe de quantité   nom complément

   Il y a des étudiants.

   mais

   Il y a peu **d'**étudiants.

   adverbe de quantité   nom complément

3. En général, on n'utilise pas d'article devant les noms des **jours**, des **mois** et les noms **midi** et **minuit**.

   Exemples :   Elle est revenue lundi.
   Janvier est un mois très froid.
   Ils mangent à midi.
   Ils se couchent à minuit.

   mais

   On utilise un article devant les noms des **jours** quand on veut indiquer une **action qui se répète**.

   Exemples :   **Le** lundi, j'ai un cours de français.
   Les banques sont fermées **le** dimanche.

EXERCICE 6 *Reconstruisez les phrases en ajoutant, dans chaque cas, le nom collectif partitif. N'oubliez pas d'accorder tous les mots qui se rapportent à ce nom.*

Exemple: Des enfants ont préparé un spectacle.
Exemple: (groupe) Un groupe d'enfants a préparé un spectacle.

1. Ces joueurs sont dynamiques.

   (équipe) _____

2. Des personnes attendaient devant les portes du cinéma.

   (foule)_____

3. Des jeunes se rencontrent à ce petit restaurant.

   (bande)_____

4. Des parents désirent organiser des activités culturelles.

   (association) _____

5. Des enfants sont venus à la fête.

   (multitude)_____

6. Des personnes contestent la nouvelle loi.

   (un grand nombre) _____

EXERCICE 7   *Reconstruisez les phrases en ajoutant, dans chaque cas, l'adverbe de quantité.*

Exemple : Il a acheté des choses.
Exemple : (beaucoup) Il a acheté beaucoup de choses.

1. Il y a des gens.

   (beaucoup) _____

2. Des personnes sont venues.

   (peu) _____

3. J'ai des choses à faire.

   (trop) _____

4. J'ai de l'argent pour acheter ce chandail.

   (assez) _____

5. J'ai du temps pour étudier.

   (suffisamment) _____

6. Il a des problèmes.

   (beaucoup) _____

7. Je pense qu'elle a du travail.

   (trop) _____

8. Il a des amis.

   (peu) _____

9. Nous voulons des explications.

   (plus) _____

10. Il gagne de l'argent.

    (moins) _____

11. Ils veulent avoir des devoirs.

    (moins) _____

12. Vous voulez faire des exercices.

    (plus) _____

4
Les adjectifs

LES ADJECTIFS QUALIFICATIFS

L'adjectif qualificatif s'accorde en **genre** (masculin ou féminin) et en **nombre** (singulier ou pluriel) avec le **nom** qu'il qualifie.

1. Beaucoup d'adjectifs qualificatifs → **adjectif + e** au féminin.

   Exemples : Il est prudent.   →   Elle est prudent**e**.
   Il est ignorant.   →   Elle est ignorant**e**.

2. Les adjectifs qualificatifs en **-eux** au masculin → **-euse** au féminin.

   Exemples : Il est nerv**eux**.   →   Elle est nerv**euse**.
   Il est génér**eux**.   →   Elle est génér**euse**.

3. Les adjectifs qualificatifs en **-f** au masculin → **-ve** au féminin.

   Exemples : Il est acti**f**.   →   Elle est acti**ve**.
   Il est agressi**f**.   →   Elle est agressi**ve**.

4. Les adjectif qualificatifs en **-el** au masculin → **-elle** au féminin.

   Exemples : Cet animal est cru**el**.   →   Cette bête est cru**elle**.
   Le problème est ré**el**.   →   Cette histoire est ré**elle**.

5. Les adjectifs qualificatifs en **-en** ou **-on** au masculin → **-enne** ou **-onne** au féminin.

   Exemples : Un anci**en** château.   →   Une anci**enne** maison.
   Un **bon** disque.   →   Une **bonne** chanson.

6. Les adjectifs qualificatifs en **-et** au masculin → **-ette** au féminin.

   Exemples :   Un plancher net.   →   Une maison nette.

                  Il est resté muet.   →   Elle est restée muette.

   mais

   Quelques adjectifs qualificatifs avec **-et** au masculin → **-ète** au féminin.

   Exemples :   complet   →   complète

                  incomplet   →   incomplète

                  concret   →   concrète

                  discret   →   discrète

                  indiscret   →   indiscrète

                  inquiet   →   inquiète

                  secret   →   secrète

7. Certains adjectifs qualificatifs en **-s** au masculin → **-sse** au féminin.

   Exemples :   bas   →   basse

                  gras   →   grasse

                  épais   →   épaisse

                  gros   →   grosse

8. Les adjectifs qualificatifs en **-er** au masculin → **-ère** au féminin.

   Exemples :   C'est son premier emploi.

                C'est sa première journée.

                Il va faire un dernier téléphone avant de partir.

                Il va essayer de rejoindre son client pour la dernière fois.

EXERCICE 1 *Pour chaque groupe de noms, trouvez dans la liste l'adjectif qualificatif qui peut être utilisé pour les trois noms et accordez-le avec chaque nom.*

mignon – boursier – aérien – visuel – réel – européen – violet – immobilier – ménager – annuel

1. L'adjectif est _____

   un indice _____

   une cote _____

   un marché _____

2. L'adjectif est _____

   des travaux _____

   des tâches _____

   des appareils _____

3. L'adjectif est _____

   une attaque _____

   des transports _____

   des lignes _____

4. L'adjectif est _____

   une plante _____

   une vente _____

   un banquet _____

5. L'adjectif est _____

   un garçon _____

   une fille _____

   un filet _____

6. L'adjectif est _____

   une chambre _____

   un ruban _____

   un chandail _____

7. L'adjectif est _____

   un effet _____

   un champ _____

   une mémoire _____

8. L'adjectif est _____

   les peuples _____

   la civilisation _____

   la mentalité _____

9. L'adjectif est _____

   un promoteur _____

   des biens _____

   une société _____

10. L'adjectif est _____

    des faits _____

    un personnage _____

    la valeur _____

LES ADJECTIFS QUI REPRÉSENTENT DES FORMES

OBSERVEZ:

Le nom	L'adjectif
un rond	rond/ronde
un carré	carré/carrée
un triangle	triangulaire
un rectangle	rectangulaire
un ovale	ovale

EXERCICE 2   *Identifiez la forme des objets.*

1. L'horloge est

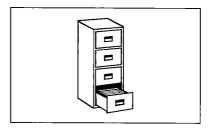

2. Le classeur est

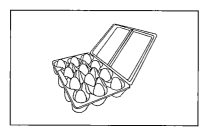

3. Les œufs sont

4. La bouée de sauvetage est

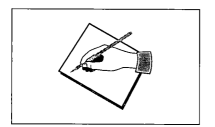

5. La feuille de papier est

6. Le coffre-fort est

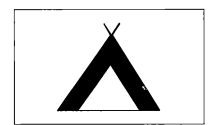

7. La tente est

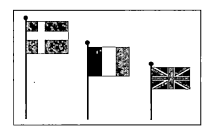

8. Les drapeaux sont

9. La loupe est

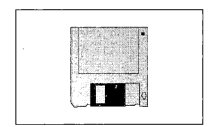

10. Les disquettes sont

☐   *LES ADJECTIFS DE COULEUR*   ☐

bleu(e) – vert(e) – rose – rouge – orangé(e) – gris(e) – brun(e) – jaune –
noir(e) – blanc(blanche) – beige

EXERCICE 3   *Répondez aux questions en vous servant des adjectifs de couleur*
précédents et faites les accords nécessaires.

Exemple : De quelle couleur sont les bananes ?
Exemple : Les bananes sont jaunes.

1. De quelle couleur est le soleil ?

    _____

2. De quelle couleur sont les sapins ?

    _____

3. De quelle couleur sont les tomates ?

    _____

4. De quelle couleur sont les éléphants ?

    _____

5. De quelle couleur est la neige ?

    _____

6. De quelle couleur est le costume du Père Noël ?

    _____

7. De quelles couleurs est le drapeau du Canada ?

    _____

8. De quelles couleurs est le drapeau de la France ?

    _____

9. De quelles couleurs est le drapeau de l'Italie ?

    _____

10. De quelle couleur sont les nuages quand il pleut ?

    _____

| | ## *LA PLACE DE L'ADJECTIF QUALIFICATIF* | |

Il n'y a pas de règles qui permettent de savoir facilement quand on doit placer l'adjectif qualificatif avant le nom et quand on doit le placer après le nom. La plupart du temps, c'est une question de son : ça sonne bien ou ça ne sonne pas bien ! Cependant, il existe des règles générales qui peuvent vous être utiles.

1. On place l'adjectif **avant** le nom dans les cas suivants :

   a) Quand l'adjectif est composé d'**une seule syllabe** et que le **nom** est composé de **plusieurs syllabes**.

   Exemples :   Elle a fait un **long** voyage.
   une syllabe trois syllabes

   Il porte un **bel** habit.
   une syllabe deux syllabes

   b) Quand on utilise un **adjectif ordinal**.

   Exemples :   Ma fille est en **deuxième** année.
   adjectif ordinal

   C'est la **troisième** fois qu'il arrive en retard.
   adjectif ordinal

2. On place l'adjectif qualificatif **après** le nom dans les cas suivants :

   a) Quand l'adjectif a **plusieurs syllabes** et qu'il qualifie un **nom** qui a **une seule syllabe**.

   Exemples :   Une vie heureuse.
   une syllabe   trois syllabes

   Un chat agressif.
   une syllabe   trois syllabes

   b) Lorsque l'adjectif exprime une **forme** ou une **couleur**.

   Exemples :   Une table ronde.
   exprime une forme

   Des murs bleus.
   exprime une couleur

c) Souvent, lorsque l'adjectif se termine par **-ant**.

Exemples :   Un travail fatig**ant**.
Un défi motiv**ant**.

NOTEZ :

Certains adjectifs ont une **signification différente** selon qu'ils sont placés **avant** ou **après** le **nom**.

Exemples :   **Pauvre** enfant !   Un enfant **pauvre**.
              | |
        évoque la pitié   évoque la pauvreté

C'est une **triste** histoire.   C'est une histoire **triste**.
              | |
        évoque le malheur   évoque la tristesse

EXERCICE 4   *Placez les adjectifs avant ou après les noms.*

Exemple : (court/message) Il a envoyé un court message.

1. (beau/voyage) As-tu fait un _____

2. (seizième/siècle) Au _____ , les gens
   n'avaient pas d'automobile.

3. (jaune/manteau) Pourquoi as-tu acheté un _____

4. (bon/repas) Vous avez préparé un _____

5. (quatrième/fois) C'est la _____ qu'il me pose cette
   question.

6. (pratique/sac) C'est un_____

7. (effrayantes/histoires) Elle raconte toujours des _____

   _____

8. (stressant/métier) Il a un _____

9. (rouge/robe) Je vais porter une _____

10. (encourageants/progrès) Ils font des_____

TROIS ADJECTIFS QUALIFICATIFS PARTICULIERS
BEAU – VIEUX – NOUVEAU

Ces trois adjectifs ont la particularité d'avoir deux formes au masculin.

BEAU

	Masculin	Féminin
Singulier	beau *bel*	belle
Pluriel	beaux	belles

Exemples :	un **beau** veston un **bel** habit des **beaux** habits	une **belle** chemise des **belles** chemises

VIEUX

	Masculin	Féminin
Singulier	vieux *vieil*	vieille
Pluriel	vieux	vieilles

Exemples :	un **vieux** veston un **vieil** habit des **vieux** habits	une **vieille** chemise des **vieilles** chemises

NOUVEAU

	Masculin	Féminin
Singulier	nouveau *nouvel*	nouvelle
Pluriel	nouveaux	nouvelles

Exemples :	un **nouveau** veston un **nouvel** habit des **nouveaux** habits	une **nouvelle** chemise des **nouvelles** chemises

* devant une **voyelle** ou un **h muet**

EXERCICE 5   *Dans chaque cas, placez le masculin approprié.*

1. (nouveau/nouvel)   un _____ appartement

2. (beau/bel)   un _____ été

3. (vieux/vieil)   un _____ arbre

4. (beau/bel)   un _____ automne

5. (nouveau/nouvel)   un _____ emploi

6. (vieux/vieil)   un _____ fauteuil

7. (nouveau/nouvel)   un _____ disque

8. (vieux/vieil)   un _____ avion

9. (beau/bel)   un _____ printemps

10. (nouveau/nouvel)   un _____ poste

11. (vieux/vieil)   un _____ ordinateur

12. (nouveau/nouvel)   un _____ produit

13. (vieux/vieil)   un _____ ami

14. (nouveau/nouvel)   un _____ associé

15. (beau/bel)   un _____ effort

EXERCICE 6   *Faites l'accord des adjectifs* beau, vieux *et* nouveau.

1. (beau)	un	_____ chandail
2. (beau)	une	_____ robe
3. (beau)	des	_____ souliers
4. (beau)	des	_____ bottes
5. (beau)	un	_____ ensemble
6. (beau)	des	_____ chapeaux
7. (vieux)	un	_____ coffre à bijoux
8. (vieux)	un	_____ étui à lunettes
9. (vieux)	une	_____ montre
10. (vieux)	des	_____ photos
11. (vieux)	des	_____ souvenirs
12. (nouveau)	un	_____ lit
13. (nouveau)	des	_____ oreillers
14. (nouveau)	un	_____ ameublement
15. (nouveau)	une	_____ lampe
16. (nouveau)	des	_____ couvertures

LA COMPARAISON ET LES ADJECTIFS QUALIFICATIFS

Pour comparer deux êtres ou deux objets, on peut utiliser des mots comme **plus, moins, aussi** avec un **adjectif qualificatif**.

+	=	−
plus	aussi	moins
un peu plus		un peu moins
beaucoup plus		beaucoup moins

OBSERVEZ :

Pierre est **plus** gentil **que** Paul.

Elle est **beaucoup plus** timide **que** moi.

Louise est **aussi** aimable **que** Jeanne.

Éric est **moins** studieux **que** son frère.

Ils sont **un peu moins** actifs **qu'**elles.

EXERCICE 7   *Construisez des phrases comme dans l'exemple. Conjuguez le verbe* être *au présent et accordez les adjectifs.*

Exemple : Pierre (être) un peu plus (distrait) son père
Exemple : Pierre est un peu plus distrait que son père.

1. Lise (être) beaucoup plus (dynamique) Jacques

_____

2. Je (être) beaucoup moins (indépendant) toi

_____

3. Linda (être) plus (gentil) Sonia

_____

4. Éric (être) aussi (intelligent) Claude

_____

5. Il (être) un peu moins (patient) toi

_____

6. Ils (être) beaucoup moins (studieux) nous

_____

7. Diane et Lucie (être) un peu plus (sage) Claudia

_____

8. Ton frère et toi (être) aussi (têtu) vos parents

_____

9. Il (être) moins (ambitieux) sa sœur

_____

10. Sa sœur (être) plus (ambitieux) lui

_____

LES ADJECTIFS POSSESSIFS

Masculin singulier	Féminin singulier	Masculin et féminin pluriel
mon	ma	mes
ton	ta	tes
son	sa	ses
notre	notre	nos
votre	votre	vos
leur	leur	leurs

NOTEZ:

Ma, ta et **sa** deviennent **mon, ton** et **son** devant un nom féminin débutant par une **voyelle** ou un **h muet**.

Exemple: automobile (nom féminin singulier)

       mon automobile
       ton automobile
       son automobile

COMMENT UTILISER L'ADJECTIF POSSESSIF

1. L'adjectif possessif est masculin devant un nom masculin.

   Exemple: **mon** chandail
             |
          masculin

2. L'adjectif possessif est féminin devant un nom féminin.

   Exemple: **ma** jupe
           |
        féminin

3. L'adjectif possessif est pluriel devant un nom pluriel.

   Exemple: **mes** souliers
            |
         pluriel

EXERCICE 8   *Placez* son *ou* sa *devant les noms féminins suivants.*

1. Hier soir, elle est sortie avec _____ amie.

2. Il a vendu _____ automobile.

3. Il a parlé à _____ mère.

4. Il a renversé du café sur _____ cravate.

5. Elle a raconté _____ histoire à tout le monde.

6. Elle a perdu _____ bague.

EXERCICE 9   *Complétez l'histoire en utilisant les bons adjectifs possessifs.*

Le voleur a tout pris !

Anita et Martin ont eu la surprise de _____ vie quand ils sont revenus à la maison samedi soir passé. Martin nous a raconté _____ histoire : « Quand nous sommes revenus dans _____ demeure vers onze heures du soir, j'ai allumé la lumière et j'ai vu que tout était à l'envers. Le voleur a vidé tous les tiroirs et toutes les armoires. C'était horrible ! »

(ANITA)   – Le voleur a pris beaucoup de choses. Il a pris _____ colliers, _____ boucles d'oreilles, _____ bague à diamant, _____ deux bracelets préférés.

(MARTIN)   – Il a pris aussi _____ complets, _____ cravates, _____ chapeau et _____ manteau de cuir.

(LE JOURNALISTE)   – Le voleur a-t-il pris _____ téléviseur ?

(MARTIN)   – Oui, il a pris _____ téléviseur, _____ chaîne stéréo, _____ magnétoscope et tous _____ disques.

(LE JOURNALISTE)   – Avez-vous avisé _____ assureur ?

(MARTIN)   – Oui et la compagnie d'assurances a envoyé un de _____ inspecteurs pour qu'il constate les dommages.

(LE JOURNALISTE)   – Qu'allez-vous faire maintenant ?

(ANITA)   – _____ mari et moi avons décidé d'acheter un système d'alarme. Nous savons maintenant qu'il est important de bien protéger _____ maison contre les voleurs.

LES ADJECTIFS DÉMONSTRATIFS

	Masculin	Féminin
Singulier	ce, cet	cette
Pluriel	ces	ces

LA DIFFÉRENCE ENTRE CE ET CET

On utilise **ce** devant un **nom masculin** qui commence par une **consonne**.

Exemple : ce livre

On utilise **cet** devant un **nom masculin** qui commence par une **voyelle** ou un **h muet**.

Exemples : cet arbre
cet homme

EXERCICE 10 *Écrivez* ce, cet *ou* cette.

1. Les enveloppes sont dans _____ tiroir.

2. L'encre est dans _____ armoire.

3. Les dossiers sont dans _____ classeur.

4. _____ appartement a besoin d'être repeint.

5. _____ ouvre-boîte ne fonctionne pas bien.

6. _____ couteau doit être aiguisé.

7. _____ histoire est très intéressante.

8. _____ projet coûtera très cher.

9. Vous devriez acheter _____ produit.

10. _____ horloge n'indique pas la bonne heure.

11. Je n'ai pas répondu à _____ question.

12. J'ai terminé _____ exercice.

EXERCICE 11 *Complétez les phrases en utilisant les adjectifs possessifs et les adjectifs démonstratifs appropriés.*

Les animaux et les moustiques

1. Le hibou

_____ oiseau nocturne est très utile parce qu'il dévore beaucoup de rats, de mulots et de souris. _____ yeux sont très gros et _____ bec est crochu. _____ griffes pointues sont très utiles pour la chasse. Quand _____ chasseur de nuit crie, on dit qu'il hulule.

2. La tortue

_____ animal est reconnu pour _____ lenteur. _____ carapace dure protège _____ corps. _____ pattes sont écartées et elles sont courtes. _____ chair est comestible. Certains de _____ reptiles peuvent être très petits et d'autres peuvent mesurer plus d'un mètre de long et peser plus de 300 kilogrammes.

3. L'hippocampe

_____ poisson marin est fascinant. _____ tête ressemble à celle d'un cheval et _____ corps est dans une position verticale. Il utilise _____ queue pour chasser.

4. Le maringouin

_____ moustique est très détestable. Durant l'été, _____ petites bestioles peuvent ruiner _____ réceptions et _____ repas en plein air. Les maringouins nous piquent et avec _____ trompe ils se nourrissent de _____ sang. En quelques minutes, _____ bras et _____ jambes peuvent être couverts de piqûres. Il existe plusieurs recettes pour soulager les démangeaisons causées par _____ piqûres. Une de _____ recettes consiste à mélanger du bicarbonate de soude et de l'eau. Quand _____ pâte est prête, vous devez l'appliquer sur _____ piqûres.

5. La guêpe

_____ insecte fait peur à beaucoup de personnes. _____ corps allongé est jaune et noir. La femelle porte un aiguillon venimeux. C'est avec _____ aiguillon que la guêpe peut vous piquer. Les guêpes construisent des nids. Dans _____ nids, il y a des larves. Si vous avez le malheur de mettre un de _____ pieds sur un nid de guêpes, vous risquez d'avoir de gros problèmes !

6. La mouche domestique

_____ insecte volant dérange beaucoup de gens. _____ bourdonnement est fatigant et _____ présence dans la maison peut devenir très énervante. La mouche est nuisible, car elle transporte des microbes sur _____ pattes et _____ trompe. Si vous désirez attraper une mouche dans _____ maison, _____ meilleure arme est _____ patience. Ne vous énervez pas, car vous risquez de briser _____ lampes, _____ cadres et _____ bibelots.

5
Les pronoms compléments

 ## *LES PRONOMS COMPLÉMENTS DIRECTS*

	Singulier	**Pluriel**
1re personne	me	nous
2er personne	te	vous
3er personne	le, la, l'	les

Quand le verbe est au présent ou à d'autres temps simples, ces pronoms sont placés **avant** le verbe conjugué.

Exemples : Marco **le** dérange.
Marco **les** dérange.
Marco ne **nous** dérange pas.
Marco ne **vous** dérange pas.

OBSERVEZ:

Marco a six ans. Il joue du tambour dans le salon. Valérie, sa sœur, dit à Marco : « Marco, cesse de faire du bruit ! Tu **me** déranges. J'essaie de faire mes devoirs. Moi, je ne **te** dérange pas quand tu fais tes devoirs ! »

> → **me** remplace Valérie
> → **te** remplace Marco

Marco va voir son père qui est dans la cuisine. Pendant que le père prépare le souper, Marco court dans la cuisine. Le père dit à Marco : « Marco, cesse de courir. Tu **me** déranges. Va jouer avec ta sœur dans le salon. »

> → **me** remplace le père

(MARCO) – Je ne peux pas. Valérie dit que je **la** dérange.

> → **la** remplace Valérie

(LE PÈRE) – Alors va voir ta mère. Elle est au sous-sol.

Marco va au sous-sol. Sa mère repasse des vêtements. Marco joue avec son ballon. La mère dit à Marco : « Marco, cesse de jouer avec ton ballon. Tu **me** déranges. Va jouer avec ta sœur. »

> → **me** remplace la mère

(MARCO) – Je ne peux pas. Valérie dit que je **la** dérange.

> → **la** remplace Valérie

(LA MÈRE) – Alors va jouer avec ton père.

(MARCO) – Je ne peux pas. Il dit que je **le** dérange. Je **vous** dérange tous les trois. Je ne sais plus quoi faire !

> → **le** remplace le père
> → **vous** remplace Valérie, le père et la mère

(LA MÈRE) – Trouve une activité qui ne **nous** dérange pas.

> → **nous** remplace la mère, le père et Valérie

(MARCO) – D'accord. Je vais aller jouer avec Fido et Bravo. Mes chiens sont mes meilleurs amis. Je ne **les** dérange jamais !

> → **les** remplace les chiens, Fido et Bravo

EXERCICE 1   *Répondez aux questions suivantes en utilisant des pronoms compléments directs.*

Exemple : Est-ce que Marco regarde la télévision ?
Exemple : Non, il ne la regarde pas.

1. Est-ce que Marco dérange Valérie ?

_____

2. Est-ce que Valérie dérange Marco ?

_____

3. Est-ce que Marco prépare le souper ?

_____

4. Est-ce que Marco dérange son père ?

_____

5. Est-ce que Marco aide sa mère ?

_____

6. Est-ce que Marco dérange Fido et Bravo ?

_____

QUAND UTILISER
UN PRONOM COMPLÉMENT DIRECT

1. Quand on peut poser la question **qui?** ou **quoi?** après un verbe, il peut y avoir un complément d'objet direct.

   Exemples :   Marco dérange Valérie.
   Marco dérange **qui**?
   – Il dérange Valérie (nom féminin singulier)
   |
   Marco **la** dérange.

   Marco lance son ballon.
   Marco lance **quoi**?
   – Il lance son ballon (nom masculin singulier)
   |
   Il **le** lance.

   Marco aime ses chiens.
   Marco aime **qui**?
   – Il aime ses chiens (nom masculin pluriel)
   |
   Il **les** aime.

2. Quand le complément d'objet direct est le **nom propre d'une personne**.

   Exemple :   Nous regardons Jean.
   Nous **le** regardons.

3. Quand le complément d'objet direct est précédé d'un **article défini (le, la, l', les)**, d'un **adjectif possessif (mon, ton, son...)** ou d'un **adjectif démonstratif (ce, cet, cette, ces)**.

   Exemples :   Nous regardons **la** télévision.
   Nous **la** regardons.

   Je regarde **ma** montre.
   Je **la** regarde.

   Je veux **ces** livres.
   Je **les** veux.

EXERCICE 2   *Remplacez les compléments d'objet directs par des pronoms compléments directs.*

1. a) Je lance la balle.

   _____

   b) Je lance le ballon.

   _____

   c) Je lance la balle et le ballon.

   _____

2. a) J'attrape la balle.

   _____

   b) J'attrape le ballon.

   _____

   c) J'attrape la balle et le ballon.

   _____

3. a) J'échappe la balle.

   _____

   b) J'échappe le ballon.

   _____

   c) J'échappe la balle et le ballon.

   _____

4. a) Je lave les verres.

   _____

   b) Je lave les assiettes.

   _____

   c) Je lave le plat.

   _____

5. a) Je range les verres.

_____

b) Je range les assiettes.

_____

c) Je range le plat.

_____

6. a) Il repasse ses pantalons.

_____

b) Il repasse sa chemise.

_____

c) Il repasse son chandail blanc.

_____

7. a) Tu fais le ménage.

_____

b) Tu fais la vaisselle.

_____

c) Tu fais tes devoirs.

_____

8. a) Nous mémorisons la règle de grammaire.

_____

b) Nous mémorisons le verbe **être**.

_____

c) Nous mémorisons la règle de grammaire et le verbe **être**.

_____

LES PRONOMS COMPLÉMENTS DIRECTS ET LE PASSÉ COMPOSÉ

Quand le verbe est conjugué à un **temps composé** (comme au passé composé), le pronom complément direct est **avant l'auxiliaire**.

Exemples : Marco a dérangé son père.
Il **l'**a dérangé.

    |
    auxiliaire **avoir**
  pronom complément direct

Marco n'a pas dérangé son père.
Il ne **l'**a pas dérangé.

    |
    auxiliaire **avoir**
  pronom complément direct

OBSERVEZ :

Marco a dérangé **son père**.   →   Il **l'**a dérangé.

Marco a dérangé **sa sœur**.   →   Il **l'**a dérangée.

Marco a dérangé **ses parents**.   →   Il **les** a dérangés.

Quand le complément direct est **avant** l'auxiliaire **avoir**, le participe passé doit être accordé avec le **complément direct**.

Lisez attentivement.

Le fils demande à sa mère s'il peut aller chez son ami. Avant de dire oui, la mère demande à son fils : « As-tu fait **tes devoirs** ? »

(LE FILS)   –   Oui, je **les** ai faits.

(LA MÈRE)   –   As-tu nettoyé **ta chambre** ?

(LE FILS)   –   Oui, je **l'**ai nettoyée.

(LA MÈRE)   –   As-tu rapporté **tes livres** à la bibliothèque ?

(LE FILS)   –   Oui, je **les** ai rapportés.

EXERCICE 3 · *Répondez aux questions en utilisant des pronoms compléments directs.*

1. As-tu regardé la télévision?

    Oui, _____

2. As-tu lu le journal?

    Oui, _____

3. Avez-vous trouvé vos clés?

    Oui, je _____

4. Ont-ils fini leurs devoirs?

    Oui, _____

5. A-t-elle compris cette leçon?

    Oui, _____

6. As-tu pris mon crayon?

    Oui, _____

7. As-tu écouté la radio?

    Oui, _____

8. Avez-vous apporté les dossiers?

    Oui, nous _____

9. As-tu noté son numéro de téléphone?

    Oui, _____

10. Avez-vous tapé la lettre?

    Oui, je _____

EXERCICE 4 *Répondez aux questions en remplaçant les compléments d'objet directs par des pronoms compléments directs.*

1. Avez-vous appelé M. Dupré ?

   Non, je_____

2. Avez-vous appelé Mme Dupré ?

   Non, je_____

3. Avez-vous appelé M. et Mme Dupré ?

   Non, je_____

4. As-tu vendu ta maison ?

   Non, _____

5. A-t-elle préparé le souper ?

   Non, _____

6. A-t-il trouvé son portefeuille ?

   Non, _____

7. A-t-elle envoyé son curriculum vitæ?

   Non, _____

8. Avez-vous reçu les documents ?

   Non, nous _____

9. Ont-ils lavé la vaisselle ?

   Non, _____

10. Ont-elles acheté l'entreprise ?

   Non, _____

LES PRONOMS COMPLÉMENTS DIRECTS
ET LE FUTUR IMMÉDIAT

Quand le verbe conjugué est **suivi d'un infinitif** (comme au futur immédiat), le pronom complément direct est placé **avant l'infinitif**.

Exemples : Il va lancer le ballon.
Il va **le** lancer.

infinitif
pronom complément direct

Il ne va pas lancer la balle.
Il ne va pas **la** lancer.

infinitif
pronom complément direct

EXERCICE 5   *Remplacez les compléments d'objet directs par des pronoms compléments directs.*

1. Il va regarder la télévision.

_____

2. Elle va terminer son travail cet après-midi.

_____

3. Nous allons rencontrer les clients au bureau.

_____

4. Elles vont préparer leurs valises ce soir.

_____

5. Il va envoyer la documentation la semaine prochaine.

_____

EXERCICE 6 *Répondez aux questions.*

1. Vas-tu le voir?

   Oui, _____

2. Allez-vous la rencontrer au restaurant?

   Oui, nous_____

3. Vont-ils les accueillir à l'aéroport?

   Oui, _____

4. Va-t-elle les inviter?

   Non,_____

5. Va-t-il les reconduire à la gare?

   Non,_____

6. Va-t-elle les chercher à l'école?

   Non,_____

LE PRONOM EN

Le pronom **en** remplace le complément d'objet direct quand on utilise des articles **indéfinis** ou **partitifs** (**des, du, de la, de l'** ou **de**) avant le nom complément d'objet direct.

Quand le nom complément d'objet direct est précédé de **un** ou **une** ou d'un **nombre précis**, on conserve ce mot dans la phrase.

OBSERVEZ :

Il lance **une** balle.	→	Il **en** lance une.
article indéfini		
Il boit **du** café.	→	Il **en** boit.
article partitif		
Il écrit **des** lettres.	→	Il **en** écrit.
article indéfini		
Il ne mange pas **de** pain.	→	Il n'**en** mange pas.
article partitif		

LA PLACE DU PRONOM EN

Quand le verbe est conjugué à un **temps simple, en** est **avant le verbe**.

Exemples : Il **en** mange.
　　　　　　Il n'**en** mange pas.

Quand le verbe est conjugué à un **temps composé, en** est **avant l'auxiliaire**.

Exemples : Il **en** a mangé.
　　　　　　Il n'**en** a pas mangé.

Quand le verbe conjugué est **suivi d'un infinitif** (comme au futur immédiat), **en** est **avant l'infinitif**.

Exemples : Il va **en** manger.
　　　　　　Il ne va pas **en** manger.

EXERCICE 7   *Remplacez les compléments d'objet directs par* en.

1. Il écrit une lettre.

_____

2. Elle lit un livre.

_____

3. Nous voulons une pause-café.

_____

4. Elle a un emploi.

_____

5. Il cherche un emploi.

_____

6. Elle a des enfants.

_____

7. Il a des responsabilités.

_____

8. Ils ont des projets.

_____

EXERCICE 8   *Remplacez les compléments d'objet directs par* en.

1. Je n'ai pas d'emploi.

_____

2. Tu n'as pas de problème.

_____

3. Ils n'ont pas de télécopieur.

_____

4. Nous n'avons pas d'électricité.

_____

5. Je n'ai pas de crayon.

_____

6. Ils ne veulent pas de devoirs.

_____

7. Elle n'achète pas de journaux.

_____

8. Elles ne lisent pas de livres.

_____

EXERCICE 9   *Répondez aux questions en utilisant le pronom* en.

1. As-tu acheté des enveloppes?
   Oui, _____

2. As-tu lavé des vêtements?
   Oui, _____

3. A-t-elle rencontré des clients?
   Oui, _____

4. A-t-il posé des questions?
   Oui, _____

5. Avez-vous suivi un cours de français?
   Oui, nous _____

6. Avez-vous acheté une automobile?
   Non, je _____

7. A-t-il reçu des cadeaux?
   Non, _____

8. Ont-ils congédié des employés?
   Non, _____

LES PRONOMS COMPLÉMENTS INDIRECTS

	Singulier	**Pluriel**
1ʳᵉ personne	me	nous
2ᵉʳ personne	te	vous
3ᵉʳ personne	lui	leur

QUAND UTILISER UN COMPLÉMENT D'OBJET INDIRECT

Quand on peut poser la question **à qui ?** ou **à quoi ?** après un verbe. C'est le cas de beaucoup de verbes qui sont suivis de la préposition **à**.

Exemples :   parler **à** (quelqu'un)
Je parle **à** Pierre.   →   Je **lui** parle.

téléphoner **à** (quelqu'un)
Il téléphone **à** sa sœur.   →   Il **lui** téléphone.

écrire **à** (quelqu'un)
Elle écrit **à** ses parents.   →   Elle **leur** écrit.

LA PLACE DU PRONOM COMPLÉMENT INDIRECT

1. Quand le verbe est conjugué à un **temps simple** (temps qui n'utilise pas d'auxiliaire), le pronom complément indirect est **avant le verbe**.

   Exemples :   Il **lui** lance la balle.
   Il ne **lui** lance pas la balle.

   Il **lui** lancerait la balle.
   Il ne **lui** lancerait pas la balle.

2. Quand le verbe est conjugué à un **temps composé** (temps qui utilise un auxiliaire), le pronom complément indirect est **avant l'auxiliaire**.

   Exemples :   Il **lui** a lancé la balle.
   Il ne **lui** a pas lancé la balle.

3. Quand le verbe conjugué est **suivi d'un infinitif** (comme au futur immédiat), le pronom personnel complément d'objet indirect est **avant l'infinitif**.

   Exemples :   Il va **lui** lancer la balle.
   Il ne va pas **lui** lancer la balle.

EXERCICE 10 *Remplacez les compléments d'objet indirects par des pronoms compléments indirects.*

1. Elle parle à Jeanne.

_____

2. Tu dis bonjour à Stéphane.

_____

3. Je téléphone à mon client.

_____

4. J'envoie les documents à M. Dupré.

_____

5. Il lance la balle aux enfants.

_____

6. Elle ne parle pas à Jacques.

_____

7. Il ne dit pas bonjour à Louis.

_____

8. Elle ne ressemble pas à ses parents.

_____

9. Elle ne donne pas les messages à son patron.

_____

10. Ils n'envoient pas les lettres aux clients.

_____

EXERCICE 11 *Remplacez les compléments d'objet indirects par des pronoms compléments indirects.*

1. As-tu parlé à M. Lafond?

   Oui, _____

2. As-tu dit bonjour à Stéphane?

   Oui, _____

3. Ont-ils envoyé les lettres aux clients?

   Oui, _____

4. A-t-elle donné les renseignements à Mme Limoge?

   Oui, _____

5. A-t-il écrit une lettre à sa mère?

   Oui, _____

6. A-t-elle parlé à Mme Ladouceur?

   Non, _____

7. Avez-vous écrit à M. Dupont?

   Non, je _____

8. As-tu annoncé la nouvelle à Marie?

   Non, _____

9. A-t-il téléphoné à Mme Larivière?

   Non, _____

10. As-tu donné les documents aux clients?

    Non, _____

EXERCICE 12   *Répondez aux questions en remplaçant les compléments d'objet indirects par des pronoms compléments indirects.*

1. Vas-tu parler à Jeanne?

   Oui, _____

2. Va-t-elle annoncer la nouvelle à sa mère?

   Oui, _____

3. Va-t-il téléphoner à M. Dupuis?

   Oui, _____

4. Allez-vous demander des explications à votre professeur?

   Oui, nous _____

5. Vont-ils dire la vérité à leurs parents?

   Oui, _____

6. Vas-tu donner la réponse à ton ami?

   Non, _____

7. Va-t-il télécopier le document à Mme Lemieux?

   Non, _____

8. Vas-tu envoyer la lettre à ta cliente?

   Non, _____

9. Va-t-elle donner des devoirs aux étudiants?

   Non, _____

10. Va-t-il parler à ses associés?

    Non, _____

    # *LE PRONOM Y*

Le pronom **y** remplace un **endroit**.

Exemples : Je vais **en France**.
J'**y** vais.

Ils sont **au bureau**.
Ils **y** sont.

LA PLACE DU PRONOM Y

1. Quand le verbe est conjugué à un **temps simple, y** est placé **avant le verbe**.

   Exemples : Je vais **à la pharmacie**.
   J'**y** vais.

   Je ne vais pas **à la pharmacie**.
   Je n'**y** vais pas.

2. Quand le verbe est conjugué à un **temps composé, y** est placé **avant l'auxiliaire avoir ou être**.

   Exemples : J'ai été **dans le Sud** tout l'hiver.
   J'**y** ai été tout l'hiver.

   Je n'ai pas été **dans le Sud** tout l'hiver.
   Je n'**y** ai pas été tout l'hiver.

   Nous sommes allés **aux États-Unis**.
   Nous **y** sommes allés.

   Nous ne sommes pas allés **aux États-Unis**.
   Nous n'**y** sommes pas allés.

3. Quand le verbe conjugué est **suivi d'un infinitif** (comme au futur immédiat), **y** est placé **avant l'infinitif**.

   Exemples : Je vais aller **au magasin**.
   Je vais **y** aller.

   Je ne vais pas aller **au magasin**.
   Je ne vais pas **y** aller.

   Elle va aller **à la conférence**.
   Elle va **y** aller.

   Elle ne va pas aller **à la conférence**.
   Elle ne va pas **y** aller.

EXERCICE 13   *Reformulez les phrases en utilisant le pronom y.*

1. Je vais au bureau tous les matins.

_____

2. Je vais au marché une fois par semaine.

_____

3. Il va chez le médecin deux fois par année.

_____

4. Nous allons au cinéma tous les mois.

_____

5. Tu es allé chez le dentiste la semaine dernière.

_____

6. Vous êtes allés à Québec la fin de semaine passée.

_____

7. Elles sont allées en Chine l'année dernière.

_____

8. Je vais aller au magasin après le cours.

_____

9. Il va aller à la banque cet après-midi.

_____

10. Nous allons aller chez le comptable demain matin.

_____

11. Tu vas aller chez ta sœur samedi prochain.

_____

12. Elle va aller au Mexique l'hiver prochain.

_____

EXERCICE 14 *Répondez aux questions.*

1. Est-ce que tu y vas?
   Oui, j'_____

2. Est-ce qu'ils y vont?
   Non, ils _____

3. Est-ce qu'ils y sont allés?
   Oui, ils_____

4. Est-ce que vous y étiez?
   Oui, nous_____

5. Est-ce que vous allez y aller?
   Non, nous _____

6. Est-ce qu'il va y aller?
   Oui, il_____

7. Est-ce que tu voudrais y aller?
   Oui, je _____

8. Est-ce que vous vouliez y aller?
   Oui, nous_____

6
Les verbes

Le verbe exprime une **action** ou un **état**.

On catégorise les verbes en trois groupes :

1er groupe	2e groupe	3e groupe
-er	-ir (-issons à la 1re personne du pluriel)	autres

Il y a deux sortes de temps de verbes :

Le présent de l'indicatif
L'imparfait de l'indicatif
Le futur simple
Le présent du conditionnel   **temps simples**
Le présent du subjonctif
Le présent de l'impératif

Le passé composé
(auxiliaire **avoir** ou **être**   **temps composé**
+ participe passé)

LE PRÉSENT DE L'INDICATIF

LA FORMATION DU PRÉSENT DE L'INDICATIF

1. Les verbes du **1er groupe** :

		Exemple : aim**er**
je...	radical + **e**	j'aim**e**
tu...	radical + **es**	tu aim**es**
il/elle/on...	radical + **e**	il/elle/on aim**e**
nous...	radical + **ons**	nous aim**ons**
vous...	radical + **ez**	vous aim**ez**
ils/elles...	radical + **ent**	ils/elles aim**ent**

2. Les verbes du **2e groupe** :

		Exemple : fin**ir**
je...	radical + **is**	je fin**is**
tu...	radical + **is**	tu fin**is**
il/elle/on...	radical + **it**	il/elle/on fin**it**
nous...	radical + **issons**	nous fin**issons**
vous...	radical + **issez**	vous fin**issez**
ils/elles...	radical + **issent**	ils/elles fin**issent**

3. Les verbes du **3e groupe** :
   - verbe **aller**
   - verbes en **-ir** qui n'ont pas **-issons** à la 1re personne du pluriel
   - verbes en **-oir**
   - verbes en **-re**

   Deux types de terminaisons sont très utilisés :

		Exemple : cour**ir**
a) je...	radical + **s**	je cour**s**
tu...	radical + **s**	tu cour**s**
il/elle/on...	radical + **t**	il/elle/on cour**t**
nous...	radical + **ons**	nous cour**ons**
vous...	radical + **ez**	vous cour**ez**
ils/elles...	radical + **ent**	ils/elles cour**ent**

		Exemple : ouvr**ir**
b) je...	radical + **e**	j'ouvr**e**
tu...	radical + **es**	tu ouvr**es**
il/elle/on...	radical + **e**	il/elle/on ouvr**e**
nous...	radical + **ons**	nous ouvr**ons**
vous...	radical + **ez**	vous ouvr**ez**
ils/elles...	radical + **ent**	ils/elles ouvr**ent**

LE PASSÉ COMPOSÉ

LA FORMATION DU PASSÉ COMPOSÉ

Auxiliaire **avoir** ou **être** au **présent** + **participe passé** du verbe à conjuguer.

Exemples :   parler   tomber
              j'**ai** parlé   je **suis** tombé
              tu **as** parlé   tu **es** tombé
              il/elle/on **a** parlé   il/on **est** tombé
              nous **avons** parlé   elle **est** tombée
              vous **avez** parlé   nous **sommes** tombés
              ils/elles **ont** parlé   vous **êtes** tombés
                                    ils **sont** tombés
                                    elles **sont** tombées

> **NOTEZ :**
>
> Quand un verbe est conjugué avec l'auxiliaire **être**, il faut toujours accorder le participe passé avec le **sujet**.

QUAND UTILISER LE PASSÉ COMPOSÉ

1. Pour indiquer qu'une action ou un état est achevé dans le passé.

   Exemple : Hier soir, j'**ai lavé** la vaisselle.
                                     |
                     l'action de laver la vaisselle
                       est achevée dans le passé

2. Pour indiquer une interruption pendant qu'une autre action se déroule.

   Exemple : Pendant que je lavais la vaisselle, le téléphone **a sonné**.
                                                                |
                                 l'action de sonner se produit pendant
                                       le déroulement d'une autre action

LE FUTUR IMMÉDIAT

LA FORMATION DU FUTUR IMMÉDIAT

Verbe **aller** au présent + verbe à l'**infinitif**.

Exemple :   parl**er**

je **vais parler**	nous **allons parler**
tu **vas parler**	vous **allez parler**
il/elle/on **va parler**	ils/elles **vont parler**

L'IMPÉRATIF PRÉSENT

LA FORMATION DE L'IMPÉRATIF PRÉSENT

Pour les verbes réguliers, on conjugue le verbe comme au présent de l'indicatif.

L'impératif présent ne se conjugue qu'à trois personnes :

		Exemple : fin**is**
2er personne du singulier	(tu)	fin**is**
1re personne du pluriel	(nous)	fin**issons**
2er personne du pluriel	(vous)	fin**issez**

Il n'y a pas de pronom personnel sujet devant un verbe conjugué à l'impératif.

NOTEZ :

Si le verbe est du 1er groupe (terminaison **-er**), on n'écrit pas de **-s** final à la 2e personne du singulier.

Exemple :   parl**er**
             parl**e**
             parl**ons**
             parl**ez**

QUAND UTILISER L'IMPÉRATIF PRÉSENT

L'impératif présent exprime un **ordre**.

	Phrases affirmatives	**Phrases négatives**
Exemples :	Parle !	Ne parle pas !
	Écoutons !	N'écoutons pas !
	Regardez !	Ne regardez pas !

ÊTRE ET AVOIR À L'IMPÉRATIF PRÉSENT

Être	**Avoir**
sois	aie
soyons	ayons
soyez	ayez

EXERCICE 1 *Conjuguez les verbes à l'impératif présent.*

1. (regarder, 2ᵉ pers. sing.) _____

2. (écouter, 2ᵉ pers. plur.) _____

3. (penser, 1ʳᵉ pers. plur.) _____

4. (finir, 2ᵉ pers. plur.) _____

5. (faire, 2ᵉ pers. sing.) _____

6. (lire, 2ᵉ pers. sing.) _____

7. (travailler, 2ᵉ pers. plur.) _____

8. (boire, 2ᵉ pers. sing.) _____

9. (penser, 2ᵉ pers. plur.) _____

10. (observer, 2ᵉ pers. plur.) _____

11. (réfléchir, 1ʳᵉ pers. plur.) _____

12. (partir, 1ʳᵉ pers. plur.) _____

EXERCICE 2 *Formulez des phrases en utilisant le verbe* être *ou* avoir *à l'impératif présent.*

Exemple : Je te demande d'être raisonnable.
Exemple : Sois raisonnable !

1. Je te demande d'être à l'heure.

_____

2. Je vous demande d'avoir confiance.

_____

3. Je nous demande d'être sérieux.

_____

4. Je vous demande de ne pas avoir peur.

_____

5. Je te demande de ne pas être pessimiste.

_____

EXERCICE 3   *Formulez des phrases en utilisant l'impératif présent.*

1. Je vous demande d'aller voir si Pierre est arrivé.

_____

2. Je te demande de lire cette lettre.

_____

3. Je nous demande de trouver une solution.

_____

4. Je te demande de téléphoner le plus tôt possible à M. Dubois.

_____

5. Je vous demande de rester calme.

_____

6. Je nous demande de ne pas paniquer.

_____

7. Je te demande de ne pas t'énerver.

_____

8. Je vous demande de ne pas aller voir ce film.

_____

9. Je vous demande de ne pas insister.

_____

10. Je nous demande de faire la pause-café.

_____

L'IMPÉRATIF ET LES PRONOMS

OBSERVEZ:

Forme affirmative	Forme négative
Parle-**moi**!	Ne **me** parle pas !
Lève-**toi**!	Ne **te** lève pas !
Répondez-**lui**.	Ne **lui** répondez pas.
Dites-**nous** la vérité.	Ne **nous** dites pas la vérité.
Assoyez-**vous**.	Ne **vous** assoyez pas.
Envoyez-**leur** la documentation.	Ne **leur** envoyez pas la documentation.

	Forme affirmative	Forme négative
Pronoms	moi	me
	toi	te
	le, la, l', lui	le, la, l', lui
	nous	nous
	vous	vous
	les, leur	les, leur

		Forme affirmative	Forme négative
Règles	1.	Le pronom est placé après le verbe.	Le pronom est placé avant le verbe.
	2.	On place un trait d'union (-) entre le verbe et le pronom.	On ne place pas de trait d'union.

EXERCICE 4   *Mettez les phrases à la forme négative.*

Exemple : Téléphone-lui.
Exemple : Ne lui téléphone pas.

1. Dis-lui.

_____

2. Donne-lui la lettre.

_____

3. Appelle-la immédiatement.

_____

4. Présentez-vous à cinq heures.

_____

5. Apporte-moi les factures.

_____

6. Dites-leur de venir.

_____

7. Donnez-moi votre réponse aujourd'hui.

_____

8. Rappelez-moi cet après-midi.

_____

9. Invitez-les aujourd'hui.

_____

10. Rencontrons-nous au bureau.

_____

L'IMPARFAIT

LA FORMATION DE L'IMPARFAIT

		Exemple : parl**er**
je...	radical + **ais**	je parl**ais**
tu...	radical + **ais**	tu parl**ais**
il/elle/on...	radical + **ait**	il/elle/on parl**ait**
nous...	radical + **ions**	nous parl**ions**
vous...	radical + **iez**	vous parl**iez**
ils/elles...	radical + **aient**	ils/elles parl**aient**

QUAND UTILISER L'IMPARFAIT

On utilise l'imparfait pour indiquer qu'un fait se déroule dans le **passé**, sans préciser le début et la fin de ce fait :

1. Pour faire des descriptions au passé.

   Exemple :   Hier, j'**étais** très fatigué. J'**avais** mal à la tête et je n'**étais** pas en forme. Je **voulais** dormir, mais je ne **pouvais** pas parce que je **devais** travailler.

2. Pour parler des habitudes du passé.

   Exemple :   Quand j'**étais** jeune, je **jouais** tous les jours avec mes amis. Nous **allions** au parc et nous **jouions** au hockey ou au baseball.

3. Pour indiquer qu'une action existe avant qu'une autre action du passé se produise.

   Exemple :   Pierre **préparait** le souper et Martin **rangeait** ses jouets quand elle est arrivée.

EXERCICE 5   *Conjuguez les verbes suivants à l'imparfait de l'indicatif.*

1. Avoir

_____   _____

_____   _____

_____   _____

2. Être

_____   _____

_____   _____

_____   _____

3. Faire

_____   _____

_____   _____

_____   _____

4. Aller

_____   _____

_____   _____

_____   _____

EXERCICE 6   *Conjuguez les verbes à l'imparfait.*

1. (téléphoner)   je   _____

2. (manger)   nous   _____

3. (penser)   je   _____

4. (finir)   il   _____

5. (pouvoir)   elle   _____

6. (devoir)   tu   _____

7. (vouloir)   il   _____

8. (marcher)   vous   _____

9. (regarder)   nous   _____

10. (travailler)   ils   _____

EXERCICE 7 *Répondez aux questions à l'aide des indices.*

Exemple: Où étiez-vous quand je suis venu?
Exemple: (salle de conférence) Nous étions dans la salle de conférence.

1. Qu'est-ce que tu faisais quand je t'ai appelé?
   (travailler) _____

2. Quelle heure était-il quand il est arrivé?
   (neuf heures) _____

3. Où était-il cet après-midi?
   (chez un client) _____

4. Qu'est-ce qu'elle voulait?
   (parler au gérant) _____

5. Comment était-elle?
   (être fâché) _____

6. Où était le gérant?
   (être parti dîner) _____

7. Avec qui parlaient-ils?
   (le directeur) _____

8. Qu'est-ce qu'ils faisaient?
   (planifier une nouvelle stratégie) _____

EXERCICE 8   *Trouvez les questions.*

1. _____

   Je parlais au téléphone.

2. _____

   Il voulait savoir si nous pouvions l'aider.

3. _____

   Il était onze heures.

4. _____

   Elle regardait son téléroman préféré.

5. _____

   Oui, nous étions très fatigués.

6. _____

   Ils devaient aller en Belgique.

7. _____

   Il faisait très beau.

8. _____

   Non, je n'étais pas couché.

☐ **L'IMPARFAIT OU LE PASSÉ COMPOSÉ?** ☐

> **OBSERVEZ:**
>
> J'**ai rencontré** une amie au restaurant.
> |
> action achevée dans le passé
>
> Pendant que nous **parlions**, mon petit garçon **a échappé** son verre.
> | |
> action qui se déroule dans le passé   interruption dans le passé

EXERCICE 9   *Conjuguez les verbes à l'imparfait ou au passé composé.*

1. Samedi dernier, je (aller) _____ au centre commercial. Ça m'(prendre) _____ un quart d'heure avant de trouver une place pour garer ma voiture. Dans le centre commercial, il y (avoir) _____ beaucoup de monde. J'(acheter) _____ les articles que je (vouloir) _____ et je (rentrer) _____ chez moi.

2. Hier matin, je (se réveiller) _____ en retard. Mon réveille-matin (sonner) _____ à six heures, mais je l'(éteindre) _____ parce que je (vouloir) _____ rester couché cinq minutes de plus. Soudainement, j'(ouvrir) _____ mes yeux et il (être) _____ sept heures et quart. Je (s'habiller) _____ en vitesse, j'(boire) _____ deux gorgées de café et je (partir) _____ au bureau.

3. Hier, j'(avoir) _____ une grosse journée. J'(travailler) _____ au bureau de huit heures à dix heures et ensuite je (partir) _____ chez un client. À midi, je (aller) _____ au restaurant pour rencontrer un autre client. À une heure et demie, je (retourner) _____ au bureau et j'(rédiger) _____ des rapports. Pendant que je (travailler) _____ , un autre de mes clients (arriver) _____ au bureau. Je l'(recevoir) _____ dans la salle de conférence et nous (discuter) _____ pendant une heure. À quatre heures, j'(rencontrer) _____ un autre client. Je (rentrer) _____ à la maison vers sept heures et j'(être) _____ très fatigué.

LE FUTUR SIMPLE

LA FORMATION DU FUTUR SIMPLE

Exemple : parler

je...	infinitif + **ai**	je parler**ai**
tu...	infinitif + **as**	tu parler**as**
il/elle/on...	infinitif + **a**	il/elle/on parler**a**
nous...	infinitif + **ons**	nous parler**ons**
vous...	infinitif + **ez**	vous parler**ez**
ils/elles...	infinitif + **ont**	ils/elles parler**ont**

QUAND UTILISER LE FUTUR SIMPLE

On utilise le futur simple quand l'action se situe dans l'**avenir**.

Exemple : Demain, je **parlerai** à mon client.

Le **futur simple** se distingue du **futur immédiat** en ceci :

1. Le futur immédiat est un temps qui est utilisé dans la conversation.
2. Le futur immédiat est pratique pour indiquer qu'une action se produit dans un avenir qui est près du présent.
3. Le futur simple est recommandé quand on parle d'un avenir qui est loin dans le temps.

   Exemple : Un jour, je **ferai** le tour du monde.

AVOIR – ÊTRE – FAIRE – ALLER AU FUTUR SIMPLE

Avoir

j'aurai	nous aurons
tu auras	vous aurez
il/elle/on aura	ils/elles auront

Être

je serai	nous serons
tu seras	vous serez
il/elle/on sera	ils/elles seront

Faire

je ferai	nous ferons
tu feras	vous ferez
il/elle/on fera	ils/elles feront

Aller

j'irai	nous irons
tu iras	vous irez
il/elle/on ira	ils/elles iront

EXERCICE 10 · *Conjuguez les verbes au futur simple.*

1. Un jour, je vous (raconter) _____ l'histoire de ma vie.

2. Il (annoncer) _____ la grande nouvelle la semaine prochaine.

3. Nous leur (téléphoner) _____ plus tard.

4. Tu (obtenir) _____ une promotion dans quelques mois.

5. Vous (finir) _____ ce travail demain.

6. Ils (bâtir) _____ leur maison sur ce terrain.

7. Tu (écrire) _____ une lettre de remerciement à ce client.

8. À l'avenir, nous (étudier) _____ plus fort.

9. Je (lire) _____ vos textes en fin de semaine.

10. Ils (rencontrer) _____ le Premier ministre dans un mois.

LE CONDITIONNEL PRÉSENT

LA FORMATION DU CONDITIONNEL PRÉSENT

Exemple : parler

je...	infinitif + **ais**	je parler**ais**
tu...	infinitif + **ais**	tu parler**ais**
il/elle/on...	infinitif + **ait**	il/elle/on parler**ait**
nous...	infinitif + **ions**	nous parler**ions**
vous...	infinitif + **iez**	vous parler**iez**
ils/elles...	infinitif + **aient**	ils/elles parler**aient**

QUAND UTILISER LE CONDITIONNEL PRÉSENT

Le conditionnel présent est souvent utilisé pour faire des **hypothèses** dans le **présent** ou dans le **futur** :

1. **Si + imparfait + conditionnel présent.**

   Exemple : **Si j'avais** l'argent, j'**achèterais** une nouvelle auto.
           | |
   si + imparfait   conditionnel présent

2. **Conditionnel présent + si + imparfait.**

   Exemple : J'**achèterais** une nouvelle auto, **si j'avais** l'argent.
           | |
   conditionnel présent   si + imparfait

AVOIR – ÊTRE – FAIRE – ALLER AU CONDITIONNEL PRÉSENT

Avoir

j'aurais	nous aurions		
tu aurais	vous auriez		
il/elle/on aurait	ils/elles auraient		

Être

je serais	nous serions
tu serais	vous seriez
il/elle/on serait	ils/elles seraient

Faire

je ferais	nous ferions
tu ferais	vous feriez
il/elle/on ferait	ils/elles feraient

Aller

j'irais	nous irions
tu irais	vous iriez
il/elle/on irait	ils/elles iraient

EXERCICE 11 *Conjuguez les verbes au conditionnel présent.*

1. (acheter) il _____

2. (étudier) tu _____

3. (discuter) nous _____

4. (finir) elle _____

5. (dire) je _____

6. (apprendre) vous _____

7. (partir) ils _____

8. (répondre) elle _____

9. (écrire) j' _____

10. (donner) elles _____

EXERCICE 12 *Conjuguez les verbes au conditionnel présent.*

– Monsieur Tremblay, j'(aimer) _____ vous voir dans mon bureau.

– Oui, Monsieur Laporte, j'arrive tout de suite.

– Monsieur Tremblay, j'ai une idée et je (vouloir) _____ savoir ce que vous en pensez.

– Certainement. Je vous écoute.

– Dites-moi, (vouloir) _____ -vous occuper le poste de directeur adjoint?

– Ça me (plaire) _____ bien, mais je ne sais pas si je (être) _____ à la hauteur de la situation...

– Mais si! Vous (faire) _____ un très bon directeur adjoint. Vous avez l'expérience et les compétences nécessaires pour occuper ce poste.

– Est-ce que j'(avoir) _____ les mêmes responsabilités que Mme Ducharme, notre ancienne directrice adjointe?

— Oui, vous (avoir) _____ les mêmes responsabilités. De plus,

vous (recevoir) _____ un salaire plus élevé que celui que

vous avez présentement.

— Est-ce que j'(aller) _____ en Asie aussi souvent que

Mme Ducharme ?

— En effet, vous devez être prêt à voyager souvent.

— Est-ce que je (pouvoir) _____ avoir un peu de temps pour

réfléchir à votre proposition ?

— Certainement, je vous accorde quelques jours, mais j'(apprécier)

_____ avoir votre réponse avant la fin de la semaine pro-

chaine.

— C'est bien, je vais vous donner ma réponse dans quelques jours.

EXERCICE 13   *Dans chaque cas, placez l'imparfait ou le conditionnel présent.*

1. Si tu (étudier) _____ plus fort, tu (avoir) _____
   des meilleurs résultats.

2. S'il (téléphoner) _____ plus souvent à ses clients, il (faire)
   _____ plus de ventes.

3. Si elles (se réunir) _____ plus souvent, elles (pouvoir)
   _____ régler beaucoup plus de choses.

4. Si vous (utiliser) _____ le dictionnaire plus souvent, vous
   (faire) _____ moins d'erreurs.

5. Si vous (faire) _____ une étude de marché, vous (être)
   _____ mieux placé pour prendre une décision.

6. Si tu (se lever) _____ un peu plus tôt, tu n'(arriver)
   _____ pas en retard au travail.

7. Si elle (prendre) _____ une semaine de vacances, elle
   (être) _____ beaucoup plus productive à son retour.

8. S'ils (allouer) _____ un plus gros budget pour la publicité,
   nous (pouvoir) _____ faire des choses plus intéressantes.

LE SUBJONCTIF PRÉSENT

LA FORMATION DU SUBJONCTIF PRÉSENT

1. Prendre le radical du verbe conjugué à la **3ᵉ personne du pluriel au présent de l'indicatif.**

   Exemples : parl**er**   →   ils **parl**ent
               fin**ir**   →   ils **finiss**ent
               ven**dre**   →   ils **vend**ent

2. Ajouter au radical les terminaisons suivantes :

je...	**-e**	nous...	**-ions**
tu...	**-es**	vous...	**-iez**
il/elle/on...	**-e**	ils/elles...	**-ent**

3. Toujours placer **que** avant le verbe conjugué.

   Exemples : parl**er**

que je parl**e**	que nous parl**ions**
que tu parl**es**	que vous parl**iez**
qu'il/elle/on parl**e**	qu'ils/elles parl**ent**

   fin**ir**

que je finiss**e**	que nous finiss**ions**
que tu finiss**es**	que vous finiss**iez**
qu'il/elle/on finiss**e**	qu'ils/elles finiss**ent**

   ven**dre**

que je vend**e**	que nous vend**ions**
que tu vend**es**	que vous vend**iez**
qu'il/elle/on vend**e**	qu'ils/elles vend**ent**

QUAND UTILISER LE SUBJONCTIF PRÉSENT

Le subjonctif présent est utilisé, entre autres, **après des verbes** qui expriment un **ordre** ou une **obligation**. On utilise souvent le subjonctif présent après le verbe **falloir** qui indique une obligation.

Exemples : Il faut que tu étudies.
           Il faut que je travaille.
           Il faut que nous partions.
           Il fallait que je finisse mon travail.
           Il faudrait que nous discutions.

HUIT VERBES QUI ONT UNE CONJUGAISON PARTICULIÈRE AU SUBJONCTIF PRÉSENT

Avoir

que j'aie   que nous ayons
que tu aies   que vous ayez
qu'il/elle/on ait   qu'ils/elles aient

Savoir

que je sache   que nous sachions
que tu saches   que vous sachiez
qu'il/elle/on sache   qu'ils/elles sachent

Être

que je sois   que nous soyons
que tu sois   que vous soyez
qu'il/elle/on soit   qu'ils/elles soient

Pouvoir

que je puisse   que nous puissions
que tu puisses   que vous puissiez
qu'il/elle/on puisse   qu'ils/elles puissent

Aller

que j'aille   que nous allions
que tu ailles   que vous alliez
qu'il/elle/on aille   qu'ils/elles aillent

Valoir

que je vaille   que nous valions
que tu vailles   que vous valiez
qu'il/elle/on vaille   qu'ils/elles vaillent

Faire

que je fasse   que nous fassions
que tu fasses   que vous fassiez
qu'il/elle/on fasse   qu'ils/elles fassent

Vouloir

que je veuille   que nous voulions
que tu veuilles   que vous vouliez
qu'il/elle/on veuille   qu'ils/elles veuillent

EXERCICE 14 *Conjuguez les verbes au subjonctif présent.*

1. (rencontrer) que je _____

2. (discuter) que nous _____

3. (finir) qu'ils _____

4. (partir) qu'elle _____

5. (aller) que j' _____

6. (être) que tu _____

7. (avoir) que vous _____

8. (faire) qu'il _____

9. (savoir) que je _____

10. (écrire) que tu _____

EXERCICE 15 *Complétez les phrases en conjuguant les verbes au subjonctif présent.*

1. Monsieur Tremblay, il faut que je vous (parler) _____

2. Il faut que nous (être) _____ plus attentifs.

3. Il ne faut pas que vous (être) _____ gênés de dire ce que vous pensez.

4. Il faut que je (partir) _____ avant quatre heures.

5. Il faut que nous (envoyer) _____ tous les documents avant jeudi.

6. Il faudrait que tout le monde (être) _____ présent à cette réunion.

7. Il faudrait qu'il (revenir) _____ au bureau avant deux heures.

8. Il a fallu que j'(aller) _____ au bureau pour chercher les documents.

9. Il a fallu qu'il (travailler) _____ toute la nuit pour terminer son analyse.

10. Il va falloir que nous (se rencontrer) _____ pour analyser ce rapport.

11. Il va falloir que tu (faire) _____ un discours la semaine prochaine.

12. Il va falloir que nous (être) _____ à l'aéroport à sept heures si nous ne voulons pas rater notre avion.

7

La négation

Trois formes de négation sont souvent utilisées :

- **ne... pas**
- **ne... plus**
- **ne... jamais**

OBSERVEZ :

Est-il courtier d'assurances ?
Non, il **n'**est **pas** courtier d'assurances.

Est-il encore courtier d'assurances ?
Non, il **n'**est **plus** courtier d'assurances.

A-t-il déjà été courtier d'assurances ?
Non, il **n'**a **jamais** été courtier d'assurances.

Joues-tu au hockey ?
Non, je **ne** joue **pas** au hockey.

Joues-tu encore au hockey ?
Non, je **ne** joue **plus** au hockey.

As-tu déjà joué au hockey ?
Non, je **n'**ai **jamais** joué au hockey.

EXERCICE 1   *Mettez à la forme négative.*

Exemple : Il y a encore du gâteau dans l'assiette.
Exemple : Il n'y a plus de gâteau dans l'assiette.

1. Il y a encore des enveloppes à coller.

   _____

2. Elle veut encore travailler.

   _____

3. Il a encore mal au dos.

   _____

4. Nous avons encore du travail à faire.

   _____

5. La ligne téléphonique est encore en dérangement.

   _____

6. Le magasin est encore ouvert à cette heure-ci.

   _____

7. Ils sont encore fâchés.

   _____

8. Il y a encore des dossiers à classer.

   _____

EXERCICE 2   *Mettez à la forme négative.*

Exemple : Elle a déjà rencontré ce client.
Exemple : Elle n'a jamais rencontré ce client.

1. Je l'ai déjà vu.

   _____

2. Nous sommes déjà allés au Mexique.

   _____

3. Il a déjà joué dans une pièce de théâtre.

   _____

4. Il a déjà travaillé avec ce logiciel.

   _____

5. Elle a déjà suivi des cours de couture.

   _____

6. Il a déjà fait de la plongée sous-marine.

   _____

7. J'ai déjà lu ce livre.

   _____

8. Il a déjà gagné le prix du meilleur vendeur de l'année.

   _____

EXERCICE 3   *Répondez avec* ne... pas, ne... plus *ou* ne... jamais.

1. Prends-tu encore des somnifères ?

Non, _____

2. Prend-elle encore des médicaments ?

Non, _____

3. Fais-tu encore tes exercices tous les matins ?

Non, _____

4. Écoute-t-elle encore de la musique subliminale ?

Non, _____

5. Avez-vous déjà fait de la méditation ?

Non, je _____

6. Avez-vous déjà pris l'avion ?

Non, je _____

7. Allez-vous souvent en voyage ?

Non, nous _____

8. Voulez-vous encore du café ?

Non, je _____

9. Voulez-vous du thé ?

Non, je _____

10. Avez-vous déjà bu du cidre ?

Non, je _____

11. A-t-il déjà mangé de la tourtière ?

Non, _____

12. Êtes-vous déjà allés dans un restaurant vietnamien ?

Non, nous _____

13. Est-il encore au téléphone ?

Non, _____

14. Sont-ils en réunion ?

Non, _____

15. Vont-ils venir demain ?

Non, _____

8

La question

LA QUESTION AVEC QUE

Que permet de formuler une question, de la même façon que **qu'est-ce que**.

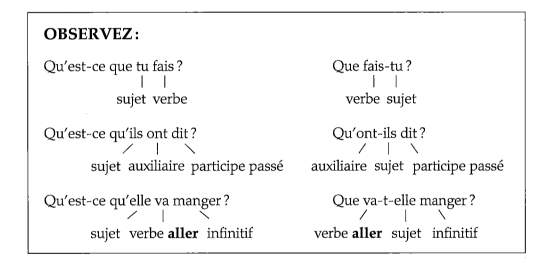

OBSERVEZ :

Qu'est-ce que tu fais ?
       | |
    sujet verbe

Que fais-tu ?
    | |
  verbe sujet

Qu'est-ce qu'ils ont dit ?
      / | \
  sujet auxiliaire participe passé

Qu'ont-ils dit ?
    / | \
auxiliaire sujet participe passé

Qu'est-ce qu'elle va manger ?
     / | \
 sujet verbe **aller** infinitif

Que va-t-elle manger ?
    / | \
verbe **aller** sujet infinitif

EXERCICE 1   *Reformulez les questions en utilisant* que.

Exemple : Qu'est-ce que tu bois ?
Exemple : Que bois-tu ?

1. Qu'est-ce que tu veux ?

_____

2. Qu'est-ce que vous faites ?

_____

3. Qu'est-ce qu'ils ont acheté ?

_____

4. Qu'est-ce qu'elle voulait ?

_____

5. Qu'est-ce que vous feriez à ma place ?

_____

6. Qu'est-ce qu'il a écrit ?

_____

7. Qu'est-ce que tu as décidé ?

_____

8. Qu'est-ce que vous allez dire ?

_____

9. Qu'est-ce qu'elle va faire ?

_____

10. Qu'est-ce que tu vas choisir ?

_____

EXERCICE 2 *En vous inspirant des réponses, formulez des questions avec* que.

Exemple : Qu'a-t-il dit ?
Exemple : Il a dit non.

1. _____

   Il veut des explications.

2. _____

   Elle lisait le journal.

3. _____

   Il cherchait sa montre.

4. _____

   Nous avons acheté une lampe.

5. _____

   Elle a reçu un chèque.

6. _____

   Ils vont envoyer la marchandise.

7. _____

   Nous allons étudier les verbes.

8. _____

   Ils désirent se reposer.

LA QUESTION AVEC QUI

Qui permet de connaître l'identité d'une personne.

Exemples :   **Qui** est là ?
              Qui a téléphoné ?
              Qui va venir ?

OBSERVEZ :

À qui... ?

À qui écris-tu ? J'écris **à ma sœur**.
À qui ressemble-t-il ? Il ressemble **à son père**.

De qui... ?

De qui parlez-vous ? Nous parlons **de la dame** qui est venue ce matin.
De qui provient cette télécopie ? Elle provient **de M. Lalonde**.

Avec qui... ?

Avec qui travailles-tu ? Je travaille **avec deux techniciens**.
Avec qui est-il allé au cinéma ? Il est allé au cinéma **avec Laurent**.

EXERCICE 3   *Pour chaque phrase, trouvez une question en utilisant* **qui, à qui, de qui** *ou* **avec qui.**

1. _____
Elle est partie avec sa tante.

2. _____
Il habite avec son fils.

3. _____
Elle envoie les factures aux clients.

4. _____
Elle a prêté ses outils à son frère.

5. _____
Ils discutent avec le patron.

6. _____
Ils parlent du patron.

7. _____
Pierre est venu.

8. _____
Sylvain et Diane veulent un café.

9. _____
Il parle à son cousin.

10. _____
Ces fleurs viennent de M. Larose.

LA QUESTION AVEC COMBIEN

Combien permet de connaître une quantité : un prix, un poids, une durée, etc.

Exemples :   avec le verbe **coûter**   Combien **coûte** ce livre ?
Combien **coûtent** ces cassettes ?

avec le verbe **valoir**   Combien **vaut** ce collier ?
Combien **valent** ces boucles d'oreilles ?

avec le verbe **peser**   Combien **pèse** le bébé ?
Combien **pèsent** ces paquets ?

OBSERVEZ :

Combien de... ?

Combien de billets voulez-vous ?
Combien d'appels avez-vous reçus ?
Combien de personnes ont assisté à la réunion ?

Combien de fois par...   • jour... ?
• semaine... ?
• mois... ?
• année... ?

Combien de fois par semaine allez-vous au magasin ?
Combien de fois par jour utilisez-vous le télécopieur ?
Combien de fois par année fait-il des voyages d'affaires ?

Pendant combien de (d')...   • temps... ?
• années... ?
• mois... ?
• jours... ?
• heures... ?

Pendant combien de temps sera-t-il absent ?
Pendant combien d'années a-t-il étudié à l'université ?
Pendant combien de jours va-t-elle rester à l'hôpital ?

EXERCICE 4 *Trouvez les questions appropriées en utilisant* combien.

1. _____

   J'ai acheté trois chandails.

2. _____

   Cette automobile vaut trente mille dollars.

3. _____

   Le livre coûte vingt-trois dollars.

4. _____

   Elle travaille trois jours par semaine.

5. _____

   Il a travaillé pendant trois mois sur ce projet.

6. _____

   Il prend des vacances deux fois par année.

7. _____

   Cette enveloppe pèse trente grammes.

8. _____

   Ils vont rester à Chicago pendant cinq jours.

9. _____

   Ils ont quatre enfants.

10. _____

    Cela coûte huit cents dollars.

11. _____

    Cette peinture va valoir le double dans dix ans.

12. _____

    Vous devrez attendre au moins une heure.

EXERCICE 5   *Lisez attentivement.*

Une assemblée mouvementée !

Durant la dernière assemblée du conseil municipal, plus de deux cents citoyens étaient présents pour contester le projet d'autoroute. Une dizaine de personnes portaient des chandails sur lesquels il était écrit : « On ne veut pas d'autoroute dans nos salons ! »

Ce projet coûtera cinquante millions de dollars et entraînera beaucoup de changements dans la vie des citoyens. Un citoyen bien connu, M. Desrosiers, a dit au maire : « Ma maison vaut présentement cent cinquante mille dollars, mais elle ne vaudra plus rien s'il y a une autoroute qui passe dans ma cour ! »

À la fin de l'assemblée, une trentaine de personnes attendaient encore en file pour poser des questions. Constatant que les citoyens avaient encore plusieurs questions à poser, le conseil municipal a annoncé qu'il tiendra deux assemblées spéciales sur ce projet le mois prochain.

En vous inspirant des informations qui sont dans le texte, formulez au moins quatre questions avec combien.

1. _____

2. _____

3. _____

4. _____

_____

_____

PARTIE *III*

Corrigé

CORRIGÉ DE LA PARTIE *I*
Thèmes

 THÈME **1** *La santé*

RÉVISION

1. a) un bras
   b) une main
   c) une jambe
   d) un pied
   e) un cœur
   f) un doigt
   g) un ventre
   h) un orteil
2. je vais bien
   tu vas bien
   il/elle/on va bien
   nous allons bien
   vous allez bien
   ils/elles vont bien
3. j'ai mal
   tu as mal
   il/elle/on a mal
   nous avons mal
   vous avez mal
   ils/elles ont mal
4. a) une grappe de raisins
   b) une poire
   c) des champignons
   d) des saucisses
   e) des œufs
   f) un cornet de crème glacée
   g) un épi de maïs
   h) du poulet
   i) du pain
5. je n'ai pas faim
   tu n'as pas faim
   il/elle/on n'a pas faim
   nous n'avons pas faim
   vous n'avez pas faim
   ils/elles n'ont pas faim
6. a) Oui, il joue au golf.
   b) Oui, elles sont en forme.
   c) Non, je ne joue pas au tennis.
   d) Non, je n'ai pas soif.
   e) Oui, ils ont joué au hockey.
   f) Oui, nous avons fait du ski.
   g) Oui, il va jouer au tennis.
   h) Non, je ne vais pas faire de bicyclette.
   i) Non, je ne fais pas de sport.
   j) Non, elle ne fait pas d'exercice.

EXERCICE 1

1. le visage
2. le front
3. les sourcils
4. les paupières
5. les cils
6. les narines
7. les joues
8. les lèvres
9. le menton
10. le cou
11. les épaules
12. les coudes
13. les poignets
14. les ongles
15. les paumes
16. les cuisses
17. les genoux
18. les mollets
19. les chevilles
20. les talons

EXERCICE 2

1. Il est assis.
2. Il est debout.
3. Elle est couchée.
4. Il est penché.
5. Il est accoudé.
6. Elle est à quatre pattes.

EXERCICE 3

1. Quand on a le rhume, on a le nez qui coule, alors il faut se moucher.
2. Quand on s'étouffe ou qu'on ressent des picotements dans la gorge, il faut tousser pour se sentir soulagé.
3. Quand on a le rhume ou une allergie respiratoire, on a le nez irrité, alors il faut éternuer pour se sentir soulagé.
4. Quand on a la grippe et qu'on fait de la fièvre, il faut se reposer pour combattre la maladie.
5. Quand on a un membre engourdi, il faut se masser pour accélérer la circulation sanguine.
3. Quand on sent une démangeaison, il faut se gratter pour se sentir soulagé.

EXERCICE 4

Réponses possibles :
1. Il faut appeler une ambulance.
   Il faut consulter un médecin.
   Il faut aller à l'urgence.
2. Il faut consulter un pédiatre.
3. Il faut appeler une ambulance.
   Il faut consulter un médecin.
   Il faut aller à l'urgence.
   Il faut donner la respiration artificielle.
4. Il faut consulter un médecin.
   Il faut se reposer.
5. Il faut consulter un médecin.
   Il faut se reposer.
6. Il faut désinfecter la plaie.
   Il faut mettre un pansement sur la plaie.

EXERCICE 5

La semaine dernière...
1. j'étais malade.
2. tu te sentais mal.
3. il avait mal à la tête.

Cette semaine...
je suis en pleine forme.
tu te sens mieux.
il a mal partout.

4. elle était fatiguée.   elle est bien.
5. nous étions malades.   nous sommes guéris.
6. vous vous sentiez mal.   vous vous sentez bien.
7. ils avaient mal au cœur.   ils n'ont pas mal au cœur.
8. elles faisaient de la fièvre.   elles ne font pas de fièvre.

EXERCICE 6

1. un visage   des visages
2. une épaule   des épaules
3. un cou   des cous
4. une joue   des joues
5. un genou   des genoux
6. un hôpital   des hôpitaux
7. un centre médical   des centres médicaux
8. un pédiatre   des pédiatres
9. un médecin   des médecins
10. une urgence   des urgences
11. un accident   des accidents
12. une ambulance   des ambulances
13. un blessé   des blessés
14. un médicament   des médicaments
15. une radiographie   des radiographies
16. un mal   des maux
17. un rhume   des rhumes
18. une grippe   des grippes
19. une guérison   des guérisons
20. un membre   des membres
21. une démangeaison   des démangeaisons
22. un engourdissement   des engourdissements
23. une maladie   des maladies
24. une plaie   des plaies
25. un virus   des virus

EXERCICE 7

1. Il faut manger...   Il faut boire...
   du fromage   du lait
   du yogourt
2. Il faut manger...   Il faut boire...
   des échalotes   du jus de tomate
   des épinards
   du chou-fleur
   de l'aubergine
   des champignons
3. Il faut manger...   Il faut boire...
   des poires   du jus d'ananas
   des bleuets   du jus de pomme
   du raisin
   des bananes
4. Il faut manger...
   du porc
   du bœuf
   du veau

EXERCICE 8

1. il faut manger plus de champignons frais que de champignons frits.
2. il faut manger plus de pommes que de tartes aux pommes.
3. il faut boire plus de jus d'orange que de café.

4. il faut manger plus de fraises fraîches que de confiture de fraises.
5. il faut manger autant de pamplemousses que d'oranges.
6. il faut manger autant de riz que de pâtes alimentaires.
7. il faut manger moins de soupes en conserve que de soupes maison.
8. il faut manger moins d'œufs que de légumes.
9. il faut boire moins de vin que de jus.
10. il faut manger moins de gâteaux aux fruits que de fruits.

EXERCICE 9

1. a) Il ne faut pas fumer.
   b) Il ne faut pas trop manger.
   c) Il ne faut pas se coucher tard.
   d) Il ne faut pas rester inactif.
   e) Il ne faut pas être pessimiste.
   f) Il ne faut pas travailler trop fort.

EXERCICE 10

1. il jouait au tennis.   3. il dansait.
2. il faisait du ski alpin.   4. il faisait du ski nautique.

EXERCICE 11

1. elle faisait de l'exercice.   3. elle jouait aux quilles.
2. elle patinait.   4. elle faisait du yoga.

EXERCICE 12

1. Madame, êtes-vous blessée?
2. Vite, appelle une ambulance!
3. Assois-toi et incline ta tête vers l'arrière. Je vais chercher une compresse d'eau froide.
4. Restez calme et ne bougez pas! Je vais chercher du secours.

EXERCICE 13

1. Où as-tu mal? **ou** Où avez-vous mal?
2. Où es-tu tombé? **ou** Où êtes-vous tombé?
3. Veux-tu voir un médecin? **ou** Voulez-vous voir un médecin?
4. Veux-tu un verre d'eau? **ou** Voulez-vous un verre d'eau?
5. Qu'est-ce que tu as? **ou** Qu'est-ce que vous avez?
6. As-tu besoin d'aide? **ou** Avez-vous besoin d'aide?
7. Es-tu blessé? **ou** Êtes-vous blessé?
8. Veux-tu t'asseoir? **ou** Voulez-vous vous asseoir?

EXERCICE 14

d) un œuf (des œufs) – i) un hôpital (des hôpitaux) – j) un œil (des yeux) – l) un mal (des maux)

EXERCICE 15

1. Avant, je ne faisais pas attention à ce que je mangeais.
2. Avant, elle ne faisait pas d'exercice (régulièrement).

3. Avant, ils ne prenaient pas de temps pour s'amuser.
4. Avant, il buvait beaucoup de café.
5. Avant, ils avaient le temps de jouer au tennis.
6. Avant, nous sortions souvent.
7. Avant, tu regardais la télévision toute la soirée.
8. Avant, elle travaillait les fins de semaine.
9. Avant, ils jouaient aux cartes tous les samedis soirs.
10. Avant, je prenais des médicaments.

EXERCICE 16

1. Oui, je fais encore du yoga.
2. Non, elle ne joue plus à la balle molle.
3. Oui, il est encore au régime.
4. Non, elle n'est plus malade.
5. Non, ils n'ont plus le rhume.
6. Non, nous ne jouons plus au golf.
7. Non, je ne suis plus fatigué.
8. Oui, il fait encore du ski de randonnée.

9. Oui, je fais encore de l'exercice tous les jours.
10. Non, elle n'a plus le temps de jouer au badminton.

EXERCICE 18

1. Le narrateur avait dix-neuf ans quand il était livreur.
2. Pendant la journée, le narrateur allait à l'université.
3. Selon le narrateur, quand on est livreur, il faut être très discret.
4. Il livrait de la pizza chez M. et Mme Legros deux fois par semaine.
5. M. Legros a toujours faim parce qu'il est au régime.
6. Au déjeuner, M. Legros mange un petit bol de céréales.
7. Tous les mercredis soirs, Mme Legros va à son cours de danse aérobique.
8. M. Legros commande une grande pizza toute garnie.
9. Le samedi soir, M. Legros joue aux quilles.
10. C'est Mme Legros qui commande la grande pizza au fromage et aux anchois.

 THÈME **2**   *Les qualités et les défauts*

RÉVISION

1. je suis
   tu es
   il/elle/on est

   nous sommes
   vous êtes
   ils/elles sont
2. sois – soyons – soyez
3. a) généreuse
   b) honnête
   c) distraite
   d) paresseuse

   e) polie
   f) ponctuelle
   g) têtue
   h) travailleuse
4. avoir mauvais caractère
5. a) méchant
   b) malhonnête

   c) impoli
   d) nerveux

EXERCICE 1

1. «Je suis comme ma mère, je lui ressemble.»
2. «Tu es comme ton père, tu lui ressembles.»
3. «Tu es comme moi, tu me ressembles.»
4. «Tu es comme nous, tu nous ressembles.»
5. «Jacques est comme vous, il vous ressemble.»
6. «Jacques est comme ses parents, il leur ressemble.»
7. «Tes filles sont comme toi, elles te ressemblent.»
8. «Votre garçon est comme vous, il vous ressemble.»

EXERCICE 2

1. Oui, elle lui ressemble.
   Non, elle ne lui ressemble pas.
2. Oui, je lui ressemble.
   Non, je ne lui ressemble pas.
3. Oui, vous leur ressemblez.
   Non, vous ne leur ressemblez pas.
4. Oui, tu me ressembles.
   Non, tu ne me ressembles pas.
5. Oui, nous leur ressemblons.
   Non, nous ne leur ressemblons pas.

6. Oui, je te ressemble.
   Non, je ne te ressemble pas.
7. Oui, ils vous ressemblent.
   Non, ils ne vous ressemblent pas.
8. Oui, elle me ressemble.
   Non, elle ne me ressemble pas.

EXERCICE 4

1. Quand il était jeune, Jean-Louis était très actif, il était de bonne humeur et il était drôle.
2. Jean-Louis est toujours le même: il est très actif, il est de bonne humeur et il est drôle.
3. Quand elle était jeune, Mme Racine était timide.
4. Maintenant, Mme Racine est plus souriante et elle est plus bavarde. Elle a aussi pris un peu de poids.

EXERCICE 5

Pour être un bon...	il faut être...	il ne faut pas être...
1. vendeur	dynamique	introverti
2. psychologue	compréhensif	agressif
3. inventeur	ingénieux	paresseux
4. chirurgien	calme	inattentif
5. juge	objectif	subjectif
6. secrétaire	organisé	impoli
7. pompier	prudent	peureux
8. professeur	patient	ignorant

EXERCICE 7

1. Il faut que nous soyons très compréhensifs avec les enfants.
2. Il faut que vous soyez très poli(s) avec les clients.
3. Il faut que nous soyons plus attentifs en classe.
4. Il faut qu'ils soient plus studieux.
5. Il faut que je sois plus patient(e).

6. Il faut que tu sois très prudent sur la route.
7. Il faut qu'elles soient très alertes dans des cas d'urgence.
8. Il faut qu'il soit très créatif dans son travail.

EXERCICE 8

1. a) prudent
   b) honnête
   c) optimiste
   d) sage
   e) aimable
   f) turbulent
   g) gentil
   h) poli
   i) attentif

2. a) gentille
   b) polie
   c) studieuse
   d) attentive
   e) turbulente
   f) sportive
   g) obéissante
   h) têtue
   i) prudente

3. que je sois
   que tu sois
   qu'il/elle/on soit
   que nous soyons
   que vous soyez
   qu'ils/elles soient

4. Il faut
5. Il faut que nous soyons parfaits.

  THÈME 3 *La météo*

RÉVISION

1. a) Il fait soleil.
   b) Il pleut.
   c) Il neige.
   d) Il vente.

2. janvier
   février
   mars
   avril
   mai
   juin
   juillet
   août
   septembre
   octobre
   novembre
   décembre

3. a) il a fait beau.
   b) il va faire beau.
   c) il n'a pas plu.
   d) il ne pleut pas.
   e) vente-t-il?
   f) va-t-il venter?

4. a) Avez-vous chaud?
   b) A-t-elle chaud?
   c) Ont-ils eu froid?
   d) As-tu eu froid?
   e) Allons-nous avoir froid?
   f) Va-t-il avoir froid?

EXERCICE 1

1. Il va très bien.
2. Il fait un temps splendide.
3. C'est un temps idéal pour jouer au golf.
4. Parce que chaque fois qu'il joue au golf, il pleut.
5. Il lui répond que ce n'est pas grave.
6. Il joue au golf beau temps, mauvais temps.
7. Il y a eu un gros orage pendant que M. Landry jouait au golf.
8. Il s'est couché par terre et il a attendu. Après l'orage, il a terminé sa partie.
9. Il constate que M. Landry est un grand amateur de golf.
10. Il lui propose de venir jouer au golf.
11. S'il y a un orage, Jean-Pierre veut rentrer chez lui.
12. Il lui dit: « Marché conclu ! »

EXERCICE 2

– Quel temps fait-il là-bas?
– Il fait un temps splendide! C'est un temps idéal pour se baigner.
– Est-ce qu'il fait chaud?
– Oui, mais il ne fait pas trop chaud. On est juste bien. À Montréal, quel temps fait-il?
– Il pleut. La nuit dernière, il y a eu un gros orage. Dis-moi, est-ce que tu reviens mardi prochain comme prévu?
– Oui, oui. Beau temps, mauvais temps, je serai à Montréal mardi soir.

EXERCICE 3

1. d   2. b   3. a   4. b   5. a   6. c   7. d

EXERCICE 4

– As-tu regardé le bulletin de météo à la télé?
– Oui.
– Qu'est-ce qu'on annonce pour demain?
– On annonce du beau temps durant la journée.
– Parfait! Je vais peindre la galerie.
– Je ne sais pas si c'est une bonne idée. On dit que le temps va se couvrir en fin d'après-midi.
– Est-ce qu'il va pleuvoir?
– Peut-être. Il y a quatre-vingts pour cent de probabilités d'averses dans la soirée.

EXERCICE 5

– Quel temps fantastique! Les pentes de ski sont toutes enneigées.
– Oui, c'est une belle tempête de neige! Je suis contente d'être en vacances.
– Où as-tu rangé les skis?
– Ils sont dans la remise. Viens voir par la fenêtre! Le paysage est superbe.
– C'est incroyable! À la radio, on a dit qu'il était tombé vingt-cinq centimètres de neige.
– Oui et ce n'est pas fini. On annonce encore cinq centimètres de neige aujourd'hui.
– Quelle bonne nouvelle!
– Oui. C'est une journée idéale pour faire du ski. Je pense que nous allons avoir beaucoup de plaisir.

EXERCICE 6

1. Le temps est venteux.
2. Le temps est pluvieux.
3. Le temps est nuageux.
4. Le temps est brumeux.
5. Le temps est nuageux.
6. Le temps est orageux.

EXERCICE 7

Le printemps...
les bourgeons sortent.
la neige fond.
c'est la période du dégel.
on plante des fleurs.

L'été...
il y a des vagues de grande chaleur.
on prend des bains de soleil.
on bronze.
on tond le gazon régulièrement.

L'automne...
les feuilles tombent.
on ramasse des feuilles.
on vide la piscine.
on ferme le chalet d'été.

L'hiver...
la neige tombe.
on pellette de la neige.
les routes sont glacées.
on déneige l'automobile.

EXERCICE 8

1. Je suis gelé.
2. On crève de chaleur.
3. Il grelotte.
4. Elle a la chair de poule.
5. Tu sues.

EXERCICE 9

1. J'espère qu'il neigera souvent l'hiver prochain.
2. Nous ramasserons des feuilles quand il ne ventera pas.
3. Je ferai ce casse-tête quand il pleuvra.
4. Demain, il fera beau.
5. Mercredi, le temps s'éclaircira dans l'après-midi.
6. Le temps s'ennuagera au cours de la fin de semaine.
7. Quand nous irons en Floride, nous prendrons des bains de soleil.
8. Avec cette pluie, ils seront trempés jusqu'aux os.
9. Selon le bulletin de météo, il ne grêlera pas ici.
10. Avec ces bottes, elle n'aura pas froid aux pieds.
11. La nuit prochaine, il fera un froid de loup.
12. Demain matin, le temps se couvrira.
13. Les météorologues prévoient qu'il tombera beaucoup de neige cet hiver.
14. Après le souper, vous pelletterez la neige devant la maison.
15. Elle déneigera son automobile demain matin.

EXERCICE 10

1. S'il pleut, ils iront magasiner.
2. S'il vente, elle fera de la planche à voile.

3. Si le temps s'éclaircit, nous souperons dehors.
4. S'il neige, elles feront du ski.
5. S'il fait froid, nous resterons à la maison.
6. S'il fait beau, nous ferons un barbecue.
7. S'il neige, les enfants joueront dehors.
8. S'il pleut, je mettrai mon imperméable.
9. S'il fait chaud, nous irons à la plage.
10. S'il fait très froid, ils s'habilleront chaudement.

EXERCICE 11

1. Il ventait quand j'ai fait mon jogging.
2. Il faisait chaud quand nous sommes allés au marché.
3. Il faisait soleil quand elles sont parties.
4. Il pleuvait très fort quand ils sont sortis du magasin.
5. Il neigeait un peu quand je me suis couché.
6. Elles ont fait de la planche à voile parce qu'il ventait.
7. Il n'est pas venu parce qu'il faisait froid.
8. Je suis resté à la maison parce qu'il neigeait trop fort.
9. Elle a pris l'autobus parce qu'il pleuvait.
10. Nous nous sommes levés plus tôt parce qu'il faisait soleil.

EXERCICE 12

1. Elle est partie avec son mari et ses enfants.
2. Ils sont allés à la campagne.
3. Il faisait très beau.
4. Le ciel s'est couvert, le temps est devenu gris et le vent s'est levé.
5. Le tonnerre faisait trembler la terre.
6. Elle a eu peur de s'envoler parce qu'il ventait très fort.
7. La narratrice compare l'orage à un spectacle son et lumière.
8. Des branches d'arbres sont tombées et deux arbres ont été déracinés.
9. La famille a dormi dans l'automobile.
10. Ils ont décidé de rentrer à la maison.

THÈME *4 Les transports*

RÉVISION

1. a) Je vais au bureau.
   b) Je vais au dépanneur.
   c) Je vais à la pharmacie.
   d) Je vais au restaurant.
   e) Je vais à la banque.
2. a) Il va au magasin en automobile.
   b) Il va au magasin en autobus.
   c) Il va au magasin en métro.
3. je suis allé
   tu es allé
   il/on est allé
   elle est allée
   nous sommes allés
   vous êtes allés
   ils sont allés
   elles sont allées
4. a) Elle attend l'autobus.
   b) Ils attendent le métro.
   c) As-tu pris l'autobus?
   d) Tu vas prendre le train.
   e) L'automobile a reculé.

5. a) le capot
   b) le pare-brise
   c) le toit
   d) le coffre à bagages
   e) le réservoir d'essence
   f) la portière

EXERCICE 1

1. routier
2. spatial
3. aérien
4. routier
5. terrestre
6. routier
7. aérien
8. terrestre
9. routier
10. aérien
11. maritime
12. routier
13. routier
14. nautique

EXERCICE 2

Avant...	Maintenant...
1. il prenait l'autobus.	il a une automobile.
2. j'allais au bureau à pied.	je prends le métro.
3. elle conduisait vite.	elle conduit plus lentement.
4. elle lavait son auto tous les samedis.	elle lave son auto une fois par mois.
5. il était imprudent sur la route.	il est prudent sur la route.
6. tu prenais le métro.	tu marches.
7. nous marchions pour aller au dépanneur.	nous prenons l'auto pour aller au dépanneur.
8. vous preniez souvent votre bicyclette.	vous ne prenez plus votre bicyclette.

EXERCICE 3

1. Mon automobile est tombée en panne, alors je...
2. Elle a manqué l'autobus et c'est pourquoi elle...
3. L'autobus était en retard et c'est pourquoi il...
4. Il y avait une grève dans les transports en commun, alors nous...
5. Ils étaient pris dans un embouteillage et ils...
6. Son automobile a eu une crevaison et il...

EXERCICE 4

1. c   2. d   3. a   4. c

EXERCICE 5

1. tourner à gauche	10. un feu de circulation
2. tourner à droite	11. un arrêt
3. aller tout droit	12. un sens unique
4. faire demi-tour	13. une courbe
5. être perdu	14. une sortie
6. une côte	15. un pont
7. la voie de gauche	16. un tunnel
8. la voie du centre	17. un accès interdit
9. la voie de droite	18. le nord, le sud, l'est, l'ouest

EXERCICE 7

1. Le conducteur du train est assis dans la locomotive.
2. Les personnes s'assoient dans les wagons de passagers.
3. On transporte les produits dans les wagons de marchandises.
4. Le chemin qui est formé avec des rails se nomme la voie ferrée.
5. Pour prendre le train, on va à la gare.

EXERCICE 8

Avant les années cinquante, le train était un moyen de transport très utilisé. Les gens qui habitaient dans des villages prenaient le train pour aller en ville. Très tôt le matin, sur le quai de la gare, il y avait des employés de bureau, des vendeurs, des ouvriers qui attendaient le train pour aller travailler en ville. Il y avait aussi des mères avec leurs enfants qui prenaient le train pour aller magasiner en ville. À cette époque, les grands boulevards et les grandes autoroutes n'existaient pas. Les gens qui devaient aller en ville tous les jours préféraient prendre le train. C'était le moyen de transport le plus rapide et le plus économique.

EXERCICE 9

Quand il était jeune, Pierre aimait beaucoup les avions. Tous les jours, il s'assoyait par terre dans sa chambre et il jouait pendant des heures avec deux petits avions en plastique. Pierre imaginait qu'il était un grand pilote d'avion et qu'il devait voyager partout dans le monde. Pierre plaçait un globe terrestre au centre de sa chambre et il faisait voler ses avions autour du globe terrestre. Quand il était dans sa chambre et qu'il entendait le bruit d'un avion au-dessus de la maison, il courait jusqu'à la fenêtre et il regardait l'avion dans le ciel. Quand Pierre avait six ans et que les gens lui demandaient: « Que veux-tu faire quand tu seras grand? », Pierre répondait: « Quand je serai grand, je serai pilote d'avion! » Puis, pour ses dix ans, Pierre a reçu le plus beau cadeau de sa vie.

C'était l'été et Pierre jouait dehors. Il faisait très beau. Tout à coup, son père et sa mère sont arrivés avec une grosse boîte recouverte d'un papier d'emballage. Pierre a demandé à ses parents: « Qu'est-ce que c'est? » Son père lui a dit: « Ouvre et tu verras! » Pendant que Pierre déballait la boîte, son cœur battait très fort. Dans la boîte, il y avait un superbe avion téléguidé! Pierre criait et sautait de joie.

Aujourd'hui, Pierre est pilote d'avion. Il ne s'amuse pas tous les jours comme quand il était petit, mais l'avion est encore une passion pour lui.

EXERCICE 10

1. une chaloupe	5. un yacht à moteur
2. un canot	6. un paquebot
3. un pédalo	7. un cargo
4. un voilier	

EXERCICE 11

Dans l'ancien temps, le bateau était le seul moyen de transport pour voyager d'un continent à l'autre. Les passagers montaient à bord et ils envoyaient la main aux personnes qui étaient sur le quai. Certaines personnes n'aimaient pas voyager par bateau parce qu'elles avaient le mal de mer. D'autres personnes ne voulaient pas prendre le bateau parce que le voyage durait trop longtemps. Traverser l'océan pouvait prendre des semaines! C'était une aventure qui ne plaisait pas à tous. Maintenant, voyager par bateau est beaucoup plus agréable. On peut faire des croisières sur des bateaux très luxueux et à des prix très abordables.

EXERCICE 12

1. Oui, j'en ai une. Non, je n'en ai pas.	4. Oui, j'en ai un. Non, je n'en ai pas.
2. Oui, j'en ai une. Non, je n'en ai pas.	5. Oui, j'en ai une. Non, je n'en ai pas.
3. Oui, j'en ai un. Non, je n'en ai pas.	

EXERCICE 13

1. Oui, ils en avaient.	5. Non, il n'y en avait pas.
2. Non, ils n'en avaient pas.	6. Non, il n'y en avait pas.
3. Oui, ils en mettaient.	7. Oui, il y en avait.
4. Oui, ils en avaient.	8. Oui, il y en avait.

EXERCICE 14

1. Elle reflète les goûts, la personnalité, la situation financière et les besoins de son propriétaire.
2. On a le sentiment d'être libre et le sentiment d'être autonome.
3. On a le goût d'acheter une automobile neuve quand on commence à travailler à plein temps.
4.
j'avais le goût	nous avions le goût
tu avais le goût	vous aviez le goût
il/elle/on avait le goût	ils/elles avaient le goût

5. On a le goût d'acheter une automobile plus puissante et qui correspond plus à l'image de la réussite.
6. Il faut dire adieu à ses goûts de jeunesse.
7. Il faut acheter une automobile spacieuse et pratique.
8. Les enfants sont au stade où ils peuvent acheter leur première automobile.
9. On veut une belle automobile confortable mais qui ne coûte pas trop cher.
10. j'avais besoin d'une automobile
    tu avais besoin d'une automobile
    il/elle/on avait besoin d'une automobile
    nous avions besoin d'une automobile
    vous aviez besoin d'une automobile
    ils/elles avaient besoin d'une automobile

 THÈME **5** *Le travail*

RÉVISION

1. dimanche – lundi – mardi – mercredi – jeudi – vendredi – samedi
2.
Passé composé	Présent
j'ai travaillé	je travaille
tu as travaillé	tu travailles
il/elle/on a travaillé	il/elle/on travaille
nous avons travaillé	nous travaillons
vous avez travaillé	vous travaillez
ils/elles ont travaillé	ils/elles travaillent

Futur immédiat
je vais travailler
tu vas travailler
il/elle/on va travailler
nous allons travailler
vous allez travailler
ils/elles vont travailler

3.
Passé composé	Présent
j'ai dû	je dois
tu as dû	tu dois
il/elle/on a dû	il/elle/on doit
nous avons dû	nous devons
vous avez dû	vous devez
ils/elles ont dû	ils/elles doivent

Futur immédiat
je vais devoir
tu vas devoir
il/elle/on va devoir
nous allons devoir
vous allez devoir
ils/elles vont devoir

4. a) Travailles-tu? **ou** Travaillez-vous?
   b) Combien d'heures par semaine travaille-t-elle?
   c) Quel est ton/votre salaire?
   d) Où travailles-tu/travaillez-vous?
   e) Quel est votre titre?
5. a) Hier matin, je suis arrivé au bureau à huit heures.
   b) Hier après-midi, il est parti à trois heures.
   c) Ce matin, le téléphone a sonné, mais je n'ai pas répondu.
   d) Tous les matins, elle ouvre le courrier.
   e) Habituellement, ils font une réunion le vendredi matin.
   f) Demain après-midi, tu vas écrire une lettre à ce client.
   g) La semaine prochaine, elles vont vérifier ces rapports.

EXERCICE 1

1. un programmeur/une programmeuse
2. un médecin/une médecin
3. un directeur bancaire/une directrice bancaire
4. un menuisier/une menuisière
5. un couturier/une couturière
6. un exterminateur/une exterminatrice
7. un pompiste/une pompiste
8. un fleuriste/une fleuriste

EXERCICE 2

1. Est-ce qu'elle recherche un poste à plein temps?
2. Est-ce que vous recherchez un emploi d'été?
3. Est-ce qu'il recherche un poste de pigiste?
4. Est-ce que vous avez/tu as un salaire de base?
5. Est-ce qu'elles sont payées à la commission?
6. Est-ce qu'ils travaillent dans le domaine de l'informatique?
7. Est-ce qu'il recherche un poste de commis?
8. Est-ce qu'il est directeur?

EXERCICE 3

1. Quelle est votre adresse?
2. Avez-vous un diplôme d'études secondaires?
3. Quel était votre titre?
4. Quel est votre numéro de téléphone?
5. Quelles tâches deviez-vous accomplir?
6. Quel est votre nom?

7. En quelle année avez-vous obtenu votre diplôme d'études secondaires?
8. Avez-vous un diplôme d'études collégiales?
9. À quelle école avez-vous étudié?
10. Pendant combien de temps avez-vous travaillé à la compagnie Zapala?

EXERCICE 4

1. Pierre est engagé par le directeur.
2. L'offre de M. Beaupré est refusée par Jean.
3. Les factures sont envoyées par le service de la comptabilité.
4. Le discours est lu par le président.
5. Les employés sont représentés par le syndicat.
6. Les articles sont rédigés par le journaliste.
7. Les produits sont vendus par le représentant.
8. Les chiffres sont vérifiés par le comptable.
9. L'argent est compté par la caissière.
10. Le photocopieur est réparé par le technicien.

EXERCICE 5

1. Les directives sont données par l'employeur.
2. Le travail est fait par les employés.
3. Les employés ont été engagés par le directeur.
4. Elle était payée chaque semaine.
5. Ils ont été congédiés il y a deux mois.
6. Il faut que sa demande d'emploi soit envoyée avant le 30 septembre.
7. S'il n'était pas bilingue, sa demande serait refusée.
8. Les horaires vont être modifiés bientôt.
9. Son salaire sera augmenté si elle obtient une promotion.
10. De nouveaux postes seront créés d'ici un an.

EXERCICE 6

1. b   2. a   3. d   4. c   5. b

EXERCICE 8

1. dépenser
2. acheter
3. congédier
4. retirer
5. dépenser
6. refuser
7. recevoir
8. prêter ou rembourser

EXERCICE 9

1. les entreprises
2. l'argent ou le salaire
3. un emploi
4. un curriculum vitæ
5. les comptes à payer

EXERCICE 10

1. épargner
2. Les trois sortes de taxes sont les taxes municipales, les taxes provinciales et les taxes fédérales.
3. On l'appelle une hypothèque.
4. Il s'agit des dépenses courantes.
5. Quand on achète quelque chose, le caissier ou la caissière nous remet une facture.
6. Choix possibles: l'essence, les assurances, l'immatriculation, le permis de conduire, les réparations.
7. ceux et celles
8. On les appelle le matériel scolaire.
9. revenu
10. b

THÈME 6   *Les actions quotidiennes*

RÉVISION

1. a) Il est trois heures.
   b) Il est quatre heures moins vingt.
   c) Il est dix heures et quart.
   d) Il est midi ou il est minuit.
2. a) C'est un réveille-matin.
   b) C'est un miroir.
   c) C'est un peigne.
   d) C'est du maquillage.
3. Passé composé
   je me suis réveillé
   tu t'es réveillé
   il/elle/on s'est réveillé
   elle s'est réveillée
   nous nous sommes réveillés
   vous vous êtes réveillés
   ils se sont réveillés
   elles se sont réveillées

   Présent
   je me réveille   nous nous réveillons
   tu te réveilles   vous vous réveillez
   il/elle/on se réveille   ils/elles se réveillent

   Futur immédiat
   je vais me réveiller
   tu vas te réveiller
   il/elle/on va se réveiller
   nous allons nous réveiller
   vous allez vous réveiller
   ils/elles vont se réveiller
4. a) Hier soir, je me suis couché à dix heures.
   b) Hier, il a préparé le souper à six heures.
   c) En fin de semaine passée, j'ai lu un bon livre.
   d) Habituellement, elle se lave le matin.
   e) Habituellement, les enfants se couchent vers neuf heures.
   f) Demain soir, je vais aider les enfants à faire leurs devoirs.
   g) Demain, vous allez faire la vaisselle.
   h) Plus tard, il va regarder la télévision.

EXERCICE 2

1. Si j'étais à ta place, je ferais l'épicerie...
2. Si j'étais à ta place, je ferais la vaisselle...

3. Si j'étais à ta place, je préparerais le souper...
4. Si j'étais à ta place, j'irais au salon de coiffure...
5. Si j'étais à ta place, je passerais l'aspirateur...
6. Si j'étais à ta place, je ferais le lavage...
7. Si j'étais à ta place, je préparerais...
8. Si j'étais à ta place, je donnerais le bain à Stéphane...

EXERCICE 3

1. Si j'avais un avion, je pourrais...
2. Si tu étais plus riche, tu pourrais...
3. Si je ne travaillais pas, je pourrais...
4. Si vous n'aviez pas d'auto, vous devriez...
5. Si on lui donnait dix mille dollars, elle voudrait...
6. Si vous veniez à la maison, nous pourrions...
7. S'ils allaient à l'école, ils devraient...
8. Si nous faisions une pause-café, nous pourrions...

EXERCICE 5

1. Quand j'habitais à Montréal, je travaillais dans une agence de publicité. Le matin, j'étais toujours à la course. Je commençais à travailler à huit heures. Si je ne voulais pas arriver en retard au bureau, je devais me lever à six heures. Je me préparais en vitesse, j'allais réveiller les enfants et je devais préparer le déjeuner pour toute la famille. À sept heures et quart, mon fils partait pour l'école et j'allais reconduire ma fille à la garderie.

EXERCICE 6

1. Si Marguerite pouvait prendre sa retraite, elle arrêterait de courir. Le matin, elle aimerait faire la grasse matinée. Idéalement, elle se lèverait vers dix heures, elle déjeunerait tranquillement, elle lirait le journal et elle irait se promener avec son chien. Vers une heure, elle dînerait et ensuite elle ferait une sieste. Dans l'après-midi, elle jouerait aux cartes avec ses amis et elle ferait toutes les activités qu'elle n'a pas le temps de faire présentement. Le soir, elle regarderait un peu de télévision, elle téléphonerait à ses enfants ou elle irait au cinéma.

EXERCICE 7

1. À quelle heure dîniez-vous ?
2. Quand étudiaient-ils ?
3. Combien de fois par année allait-elle chez le dentiste ?
4. Combien de fois par jour faisiez-vous la vaisselle ?
5. À quelle heure vous leviez-vous ?
6. À quelle heure se couchait-elle ?
7. Quand vous rencontriez-vous ?
8. À quelle heure se réveillait-il ?
9. Quand se rasait-il ?
10. Quand se maquillait-elle ?
11. Combien de fois par semaine se voyaient-ils ?
12. Combien de fois par jour s'appelaient-elles ?

EXERCICE 9

1. a) refuser
   b) ignorer
   c) nettoyer
   d) se réveiller
   e) commencer
   f) travailler
2. a) planifier
   b) refuser
   c) se divertir
   d) se reposer
   e) ignorer
   f) se sauver

EXERCICE 10

1. La famille mange des hamburgers et des frites.
2. C'est Mme Lemieux, une ancienne voisine.
3. C'est M. et Mme Lemieux.
4. Ils doivent arriver vers sept heures.
5. Il voulait aller chez son ami Luc.
6. Il doit ranger sa chambre et passer l'aspirateur dans la maison.
7. Lisa va aider Viviane à faire la vaisselle.
8. Il veut faire une sieste.
9. Il doit aller à la pâtisserie, il doit aller au marché et il doit nettoyer les deux salles de bain.
10. Ils vont planifier tout ce qu'ils doivent faire pendant la semaine.

 THÈME 7 **Le bureau**

RÉVISION

1. a) un photocopieur
   b) un télécopieur
   c) une machine à écrire
   d) un classeur
   e) un ordinateur
   f) une agrafeuse
   g) un trombone
   h) une calculatrice
   i) un téléphone cellulaire
   j) une chemise
   k) une enveloppe
2. a) C'est un crayon.
   b) Ce sont des ciseaux.
   c) C'est un photocopieur.
   d) C'est une calculatrice.
   e) Ce sont des classeurs.
3. j'ai ouvert
   tu as ouvert
   il/elle/on a ouvert
   nous avons ouvert
   vous avez ouvert
   ils/elles ont ouvert

4. j'ai besoin d'un ordinateur
   tu as besoin d'un ordinateur
   il/elle/on a besoin d'un ordinateur
   nous avons besoin d'un ordinateur
   vous avez besoin d'un ordinateur
   ils/elles ont besoin d'un ordinateur
5. a) Oui, nous en avons un.
   b) Oui, elle en fait.
   c) Oui, j'en achète.
   d) Non, je n'en achète pas.
   e) Oui, ils en louent un.
   f) Oui, il en a un.
   g) Oui, elle en utilise une.
   h) Non, elles n'en ont pas.

EXERCICE 1

1. regarde – regardons – regardez
2. travaille – travaillons – travaillez
3. réponds – répondons – répondez
4. finis – finissons – finissez
5. fais – faisons – faites
6. va – allons – allez

EXERCICE 2

1. Rappelle Pierre le plus tôt possible.
2. Signez au bas de la première page du contrat.
3. Lisez le deuxième paragraphe.
4. Venez à quatre heures.
5. Va chercher le dossier.
6. Conservez la copie rose.
7. Faites dix photocopies de ce document.
8. Envoie la documentation par la poste.

EXERCICE 4

1. Elle la tape.
2. Il le photocopie.
3. Nous la cherchons.
4. Il le nettoie.
5. Elle les range.
6. Elle les donne.
7. Il l'allume.
8. Il l'appelle.
9. Elle les appelle.
10. Il les cherche.
11. Elle l'imprime.
12. Elle l'écrit.
13. Il l'analyse.
14. Elle les envoie.
15. Ils la reçoivent.

EXERCICE 5

1. Elle l'a tapée.
2. Il l'a photocopié.
3. Nous les avons cherchées.
4. Il l'a nettoyé.
5. Elle les a rangés.
6. Elle les a donnés.
7. Il l'a allumée.
8. Il l'a appelée.
9. Elle les a appelés.
10. Il les a cherchées.
11. Elle l'a imprimé.
12. Elle l'a écrite.
13. Il l'a analysé.
14. Elle les a envoyées.
15. Ils l'ont reçue.

EXERCICE 6

1. Il va le photocopier après le dîner.
2. Il va le nettoyer samedi prochain.
3. Il va l'appeler dès son retour.
4. Elle va les appeler la semaine prochaine.
5. Elle va l'imprimer en fin d'après-midi.
6. Elle va l'écrire ce soir.
7. Il va l'analyser en fin de semaine.
8. Elle va l'envoyer lundi prochain.

EXERCICE 7

1. raccrocher
2. partir
3. se taire
4. effacer
5. laisser
6. avoir confiance
7. fermer
8. envoyer
9. perdre
10. cesser

EXERCICE 8

1. 4 plus 7 égale 11
2. 24 divisé par 6 égale 4
3. 30 multiplié par 3 égale 90
4. 57 moins 6 égale 51
5. 99 divisé par 9 égale 11
6. 80 multiplié par 2 égale 160
7. 340 plus 50 égale 390
8. 100 multiplié par 6 égale 600
9. 2 000 divisé par 2 égale 1 000
10. 100 000 multiplié par 5 égale 500 000
11. 1 000 000 divisé par 10 égale 100 000
12. 3 000 000 moins 3 000 000 égale 0

EXERCICE 9

1. vingt
2. cent
3. cent quarante
4. deux cent quatre-vingts
5. six cent soixante-dix-huit
6. neuf cent quatre-vingt-dix-neuf
7. mille quinze
8. cinq mille sept cent quatre-vingt-quinze
9. dix mille
10. trois cent mille
11. un million
12. deux milliards

EXERCICE 10

1. Son nom est M. Latour.
2. Il appelle à la compagnie Fabritex.
3. Il veut parler à Mme Melançon.
4. C'est de la part de qui?
5. Que puis-je faire pour vous aider?
6. Il l'a payée le mois dernier.
7. Le montant est de deux cent quatre-vingt-cinq dollars.
8. Excusez-moi de vous avoir fait attendre.
9. Vous avez raison.
10. Ce n'est pas grave.

THÈME *8* **Les voyages**

RÉVISION

1. l'Afrique – l'Amérique – l'Asie – l'Europe – l'Océanie
2. a) Je suis allé en France.
   b) Nous sommes allés en Allemagne.
   c) Elles sont allées en Suisse.
   d) Il est allé au Portugal.
   e) Vous êtes allés au Danemark.
3. a) les Français   d) les Grecs
   b) les Italiens   e) les Anglais
   c) les Allemands
4. a) des chemises   d) un sèche-cheveux
   b) une cravate   e) du fil et une aiguille
   c) des souliers
5. Passé composé   Présent
   j'ai mis   je mets
   tu as mis   tu mets
   il/elle/on a mis   il/elle/on met
   nous avons mis   nous mettons
   vous avez mis   vous mettez
   ils/elles ont mis   ils/elles mettent

   Futur immédiat
   je vais mettre
   tu vas mettre
   il/elle/on va mettre
   nous allons mettre
   vous allez mettre
   ils/elles vont mettre
6. 1. Oui, il y est allé.   5. Oui, ils vont y aller.
   2. Oui, j'y suis allé.   6. Non, je n'y vais pas.
   3. Oui, elle y va.   7. Non, je n'y suis pas allé.
   4. Oui, nous y allons.   8. Non, je ne vais pas y aller.

EXERCICE 3

1. Si j'allais à Las Vegas, je parierais de l'argent dans les casinos.
2. Si j'allais dans les Alpes, je ferais de l'alpinisme.
3. Si j'allais en France, je visiterais le musée du Louvre.
4. Si j'allais à Venise, je me promènerais en gondole.
5. Si j'allais dans les Antilles, je me baignerais dans la mer.
6. Si j'allais à New York, j'irais voir des spectacles.
7. Si j'allais en Égypte, je photographierais les Pyramides.
8. Si j'allais en Australie, j'achèterais un boomerang en souvenir.

EXERCICE 4

1. Lequel coûte le moins cher?
2. Laquelle est la plus spacieuse?
3. Lequel est le plus renommé?
4. Lesquelles ont-ils visitées?
5. Lesquelles ont-ils vues?
6. Lesquels êtes-vous allés voir?
7. Lesquels ont-elles visités?
8. Laquelle est la plus belle?

EXERCICE 5

1. Lesquels devrais-je emporter?
2. Lesquelles devrais-je choisir?
3. Laquelle serait la plus pratique?
4. Lequel devrions-nous choisir?
5. Lequel veux-tu emporter?
6. Laquelle veux-tu?

EXERCICE 7

– Josée, où devrions-nous aller?
– Je ne sais pas. Nous pourrions regarder les brochures que nous avons prises à l'agence de voyages. Ça nous donnerait peut-être des idées.
– D'accord. Oh, regarde! Nous pourrions aller au Mexique.
– Nous sommes déjà allés au Mexique. Je préférerais découvrir un nouveau pays. Qu'est-ce que tu dirais d'aller en Égypte?
– Si nous décidons de faire un grand voyage, j'aurais plus le goût d'aller en Chine ou en Russie.
– D'accord, mais il faudrait savoir combien ça coûte. Nous ferions mieux de nous informer avant.
– Tu as raison. Nous devrions appeler pour savoir combien ça pourrait coûter.

EXERCICE 8

1. Si je voulais manger du pâté de foie gras et boire du bon vin, j'irais en France.
2. Si elle voulait manger des souvlakis, elle irait en Grèce.
3. S'il voulait manger du riz au curry, il irait en Inde.
4. Si nous voulions manger du couscous, nous irions au Maroc.
5. Si vous vouliez manger des sushis, vous iriez au Japon.
6. Si elles voulaient boire de la bière et manger de la choucroute, elles iraient en Allemagne.
7. Si tu voulais manger de la cuisine cantonaise, tu irais en Chine.
8. Si on voulait manger de la tourtière, on irait au Lac-Saint-Jean.

EXERCICE 9

Quand on part en voyage, il est important de respecter certaines règles de prudence.

Règle numéro 1
Un touriste prudent devrait toujours avoir son passeport sur lui.

Règle numéro 2
Il ne faut jamais laisser d'objets précieux dans la chambre d'hôtel, comme des bijoux ou de l'argent.

Règle numéro 3
Si une personne a des chèques de voyage, elle doit noter les numéros et bien cacher la feuille.

Règle numéro 4.
Une personne qui est sur la plage ne devrait jamais laisser son sac sans surveillance.

Règle numéro 5
Quand une personne passe à la douane, elle doit faire une déclaration honnête. Les lois varient beaucoup d'un pays à l'autre et il est dangereux de ne pas les respecter.

EXERCICE 10

1. Oui, il y est allé.
2. Non, nous n'y sommes pas allés.
3. Oui, elles y sont allées.
4. Non, elle n'y est pas allée.
5. Oui, nous aimerions y aller.
6. Oui, je voudrais y aller.
7. Non, je ne voudrais pas y aller.
8. Non, nous n'irions pas en Alaska.
9. Non, il n'aimerait pas y aller.
10. Oui, ils vont y aller.

EXERCICE 11

1. J'aime les hôtels qui sont très luxueux.
2. Il y a des gens qui préfèrent séjourner dans des petites auberges.
3. Avant de partir en voyage, je fais toujours une liste des choses que je dois emporter.
4. Je n'aime pas faire des voyages qui durent trop longtemps.
5. Quand je voyage, j'aime acheter des choses que je ne peux pas trouver ici.
6. Je lui ai dit que j'irais le reconduire à l'aéroport.
7. Il prend l'avion qui fait escale à Vancouver.
8. Nous devrions acheter un guide touristique qui contient une liste des meilleurs restaurants.
9. J'ai oublié le nom de l'hôtel que vous m'avez recommandé.
10. Elle veut prendre le train qui part à sept heures.

EXERCICE 12

1. dépenser
2. un luxe
3. pouvoir – devoir – être – apprendre – se reposer
4. se ruiner
5. aérien (les compagnies aériennes)
6. les agences de voyages
7. Il faut éviter de porter des souliers neufs parce qu'on peut avoir mal aux pieds.
8. On les appelle des guides touristiques.
9. Il s'agit des saisons.
10. Bon voyage!

Références grammaticales

1. La ponctuation

EXERCICE 1

1. une virgule
2. un point d'interrogation
3. un point
4. une virgule
5. un point-virgule
6. un deux-points
7. des guillemets
8. des parenthèses
9. un point
10. une virgule
11. un point d'exclamation
12. un deux-points
13. une virgule
14. un point-virgule
15. un point

EXERCICE 2

1. un point d'interrogation
2. un point
3. un deux-points
4. une virgule
5. des guillemets

2. Les noms

EXERCICE 1

Noms masculins
bananier – jeudi – espagnol – polonais – érable – plomb – zinc – pommier – japonais – aluminium – palmier – chrome – allemand – dimanche – samedi – pin – sodium – mercredi – anglais – mercure – italien

Noms féminins
économie – psychologie – sociologie – zoologie – anthropologie

EXERCICE 2

1. un menuisier
2. un requin
3. un patin
4. un devoir
5. un protestantisme
6. un espoir
7. une douzaine
8. une maison
9. une présence
10. une absence
11. un hindouisme
12. une laine
13. une saison
14. une limonade
15. un poussin
16. un mouchoir
17. une proposition
18. un couloir
19. une plaie
20. une ballade
21. une morsure
22. une église
23. une bille
24. un coussin
25. un trottoir
26. une paresse
27. une tristesse
28. un vin
29. une cargaison
30. un catholicisme
31. un soulier
32. un socialisme
33. une centaine
34. une fille
35. un matin
36. un sentier
37. une adolescence
38. un courrier
39. une parade
40. une attention
41. un bouddhisme
42. une parenté
43. un dessin
44. une vérité
45. un dentier
46. une gentillesse
47. une vérification
48. une valise
49. une adresse
50. une brisure
51. une vitesse

EXERCICE 3

1. des exercices
2. des questions
3. des réponses
4. des cours
5. des classes
6. des tables
7. des cahiers
8. des tableaux
9. des craies
10. des manteaux
11. des foulards
12. des chapeaux
13. des bas
14. des gants
15. des bijoux

EXERCICE 4

1. une scie
   des scies
2. un tournevis
   des tournevis
3. une pelle
   des pelles
4. une agrafeuse
   des agrafeuses
5. un marteau
   des marteaux
6. un clou
   des clous

7. un pinceau
   des pinceaux

8. un rouleau
   des rouleaux

EXERCICE 5

1. a) un éléphant
   b) une grenouille
   c) une tortue
   d) un hibou
   e) un cheval
   f) un canard

   g) un cygne
   h) un ours
   i) un castor
   j) un tigre
   k) un rhinocéros
   l) un taureau

2. Terminaison en **-s**
   des éléphants – des grenouilles – des tortues – des canards – des cygnes – des castors – des tigres
   Terminaison en **-eaux**
   des taureaux
   Terminaison en **-aux**
   des chevaux
   Terminaison en **-oux**
   des hiboux
   Même orthographe au singulier et au pluriel
   des ours – des rhinocéros

3. Les articles

EXERCICE 1

1. a) Il a vu une statue.
   b) Il a vu la statue de la Liberté.
   c) Il a vu un pont.
   d) Il a vu le pont de Brooklyn.
   e) Il a vu une rivière.
   f) Il a vu la rivière Hudson.
2. Il est allé à New York.

EXERCICE 2

– C'est bientôt l'anniversaire de mon garçon. Je lui ai demandé ce qu'il voulait pour son anniversaire et il m'a dit qu'il voulait un chien.
– Un chien? Mais tu n'y penses pas! Il va salir toute la maison.
– Si je ne me trompe pas, tu n'aimes pas les chiens.
– En effet. Je trouve que les chiens ne sont pas propres. Ils mettent du poil partout dans la maison et ils sentent mauvais. En plus, ils jappent et ils dérangent les voisins.
– Moi, j'aime tous les animaux. Les chiens, les chats, les poissons peuvent être des amis très amusants pour les enfants.
– Moi, j'aime beaucoup les oiseaux. Ça fait longtemps que je veux avoir un oiseau, mais mon mari ne veut pas.
– Je le comprends. Quand on a un oiseau, il faut nettoyer la cage et changer l'eau tous les jours. C'est beaucoup de problèmes.
– Moi, j'aime beaucoup les animaux exotiques comme les perroquets, les iguanes, les serpents.
– Décidément, nous ne sommes pas vraiment faits pour vivre ensemble!
– Je suis bien content que tu le réalises!
– Bon, bon, ça suffit! J'ai assez de problèmes à la maison avec cette histoire de chien, je n'ai pas besoin que cela devienne aussi un problème au bureau. Retournons travailler!

EXERCICE 3

1. Le patron doit parler aux employés.
2. Ils doivent téléphoner aux clients.
3. Il a laissé un message à la secrétaire.
4. Tu parles trop longtemps au téléphone.
5. Vous devez vous adresser au directeur.
6. Elle n'a pas envoyé la lettre à la bonne adresse.
7. Il doit annoncer la nouvelle au début de la réunion.

8. Ils pourront poser des questions à la fin de la réunion.
9. J'ai oublié mon porte-documents à la maison.
10. Je dois retourner au bureau cet après-midi.

EXERCICE 4

1. J'ai renversé de l'encre sur la table.
2. Je dois acheter de la colle pour réparer cette tasse.
3. Il y a de la vaisselle qui traîne sur tous les comptoirs.
4. Elle est partie acheter de l'eau de Javel.
5. J'ai oublié d'acheter de l'assouplisseur.
6. Tu dois frotter cette tache avec du savon.
7. Il y a de l'électricité statique dans ces chandails.
8. Elle cherche du fil noir pour raccommoder son bas.
9. Il y a de la poussière sur cette lampe.
10. Il écoute toujours de la musique quand il fait du ménage.

EXERCICE 5

Ce matin, j'ai bu du jus d'orange et j'ai mangé des céréales. Et vous? Avez-vous déjeuné? Moi, je connais des personnes qui ne déjeunent pas. Pourtant, il est important de prendre un bon déjeuner. Depuis qu'elle travaille, ma sœur ne déjeune jamais. Le matin, elle boit du/un café, mais elle ne mange rien. Je lui ai dit: « Pourquoi tu ne manges pas un fruit, une rôtie avec du beurre d'arachide ou bien du gruau? » Elle m'a répondu: « Je ne mange pas parce que je n'ai pas faim le matin! » Je n'ai pas voulu insister, mais je suis convaincu qu'elle serait plus en forme si elle prenait un bon déjeuner.

EXERCICE 6

1. Cette équipe de joueurs est dynamique.
2. Une foule de personnes attendait devant les portes du cinéma.
3. Une bande de jeunes se rencontre à ce petit restaurant.
4. Une association de parents désire organiser des activités culturelles.
5. Une multitude d'enfants est venue à la fête.
6. Un grand nombre de personnes conteste la nouvelle loi.

EXERCICE 7

1. Il y a beaucoup de gens.
2. Peu de personnes sont venues.
3. J'ai trop de choses à faire.
4. J'ai assez d'argent pour acheter ce chandail.
5. J'ai suffisamment de temps pour étudier.
6. Il a beaucoup de problèmes.
7. Je pense qu'elle a trop de travail.
8. Il a peu d'amis.
9. Nous voulons plus d'explications.
10. Il gagne moins d'argent.
11. Ils veulent avoir moins de devoirs.
12. Vous voulez faire plus d'exercices.

4. Les adjectifs

EXERCICE 1

1. L'adjectif est **boursier**
   un indice boursier
   une cote boursière
   un marché boursier
2. L'adjectif est **ménager**
   des travaux ménagers
   des tâches ménagères
   des appareils ménagers
3. L'adjectif est **aérien**
   une attaque aérienne
   des transports aériens
   des lignes aériennes
4. L'adjectif est **annuel**
   une plante annuelle
   une vente annuelle
   un banquet annuel
5. L'adjectif est **mignon**
   un garçon mignon
   une fille mignonne
   un filet mignon
6. L'adjectif est **violet**
   une chambre violette
   un ruban violet
   un chandail violet
7. L'adjectif est **visuel**
   un effet visuel
   un champ visuel
   une mémoire visuelle
8. L'adjectif est **européen**
   les peuples européens
   la civilisation européenne
   la mentalité européenne
9. L'adjectif est **immobilier**
   un promoteur immobilier
   des biens immobiliers
   une société immobilière
10. L'adjectif est **réel**
    des faits réels
    un personnage réel
    la valeur réelle

EXERCICE 2

1. L'horloge est ronde.
2. Le classeur est rectangulaire.
3. Les œufs sont ovales.
4. La bouée de sauvetage est ronde.
5. La feuille de papier est rectangulaire.
6. Le coffre-fort est carré.
7. La tente est triangulaire.
8. Les drapeaux sont rectangulaires.
9. La loupe est ronde.
10. Les disquettes sont carrées.

EXERCICE 3

1. Le soleil est jaune.
2. Les sapins sont verts.
3. Les tomates sont rouges ou vertes ou jaunes.
4. Les éléphants sont gris.
5. La neige est blanche.
6. Le costume du Père Noël est rouge.
7. Le drapeau du Canada est rouge et blanc.
8. Le drapeau de la France est bleu, blanc, rouge.
9. Le drapeau de l'Italie est vert, blanc, rouge.
10. Les nuages sont gris.

EXERCICE 4

1. As-tu fait un beau voyage?
2. Au seizième siècle, les gens n'avaient pas d'automobile.
3. Pourquoi as-tu acheté un manteau jaune?
4. Vous avez préparé un bon repas.
5. C'est la quatrième fois qu'il me pose cette question.
6. C'est un sac pratique.
7. Elle raconte toujours des histoires effrayantes.
8. Il a un métier stressant.
9. Je vais porter une robe rouge.
10. Ils font des progrès encourageants.

EXERCICE 5

1. un nouvel appartement
2. un bel été
3. un vieil arbre
4. un bel automne
5. un nouvel emploi
6. un vieux fauteuil
7. un nouveau disque
8. un vieil avion
9. un beau printemps
10. un nouveau poste
11. un vieil ordinateur
12. un nouveau produit
13. un vieil ami
14. un nouvel associé
15. un bel effort

EXERCICE 6

1. un beau chandail
2. une belle robe
3. des beaux souliers
4. des belles bottes
5. un bel ensemble
6. des beaux chapeaux
7. un vieux coffre à bijoux
8. un vieil étui à lunettes
9. une vieille montre
10. des vieilles photos
11. des vieux souvenirs
12. un nouveau lit
13. des nouveaux oreillers
14. un nouvel ameublement
15. une nouvelle lampe
16. des nouvelles couvertures

EXERCICE 7

1. Lise est beaucoup plus dynamique que Jacques.
2. Je suis beaucoup moins indépendant que toi.
3. Linda est plus gentille que Sonia.
4. Éric est aussi intelligent que Claude.
5. Il est un peu moins patient que toi.
6. Ils sont beaucoup moins studieux que nous.
7. Diane et Lucie sont un peu plus sages que Claudia.
8. Ton frère et toi êtes aussi têtus que vos parents.
9. Il est moins ambitieux que sa sœur.
10. Sa sœur est plus ambitieuse que lui.

EXERCICE 8

1. Hier soir, elle est sortie avec son amie.
2. Il a vendu son automobile.
3. Il a parlé à sa mère.
4. Il a renversé du café sur sa cravate.
5. Elle a raconté son histoire à tout le monde.
6. Elle a perdu sa bague.

EXERCICE 9

Anita et Martin ont eu la surprise de leur vie quand ils sont revenus à la maison samedi soir passé. Martin nous a raconté son histoire : « Quand nous sommes revenus dans notre demeure vers onze heures du soir, j'ai allumé la lumière et j'ai vu que tout était à l'envers. Le voleur a vidé tous les tiroirs et toutes les armoires. C'était horrible ! »
- Le voleur a pris beaucoup de choses. Il a pris mes colliers, mes boucles d'oreilles, ma bague à diamant, mes deux bracelets préférés.
- Il a pris aussi mes complets, mes cravates, mon chapeau et mon manteau de cuir.
- Le voleur a-t-il pris votre téléviseur ?
- Oui, il a pris notre téléviseur, notre chaîne stéréo, notre magnétoscope et tous nos disques.
- Avez-vous avisé votre assureur ?
- Oui et la compagnie d'assurances a envoyé un de ses inspecteurs pour qu'il constate les dommages.
- Qu'allez-vous faire maintenant ?
- Mon mari et moi avons décidé d'acheter un système d'alarme. Nous savons maintenant qu'il est important de bien protéger notre maison contre les voleurs.

EXERCICE 10

1. Les enveloppes sont dans ce tiroir.
2. L'encre est dans cette armoire.
3. Les dossiers sont dans ce classeur.
4. Cet appartement a besoin d'être repeint.
5. Cet ouvre-boîte ne fonctionne pas bien.
6. Ce couteau doit être aiguisé.
7. Cette histoire est très intéressante.
8. Ce projet coûtera très cher.
9. Vous devriez acheter ce produit.
10. Cette horloge n'indique pas la bonne heure.
11. Je n'ai pas répondu à cette question.
12. J'ai terminé cet exercice.

EXERCICE 11

1. Le hibou
   Cet oiseau nocturne est très utile parce qu'il dévore beaucoup de rats, de mulots et de souris. Ses yeux sont très gros et son bec est crochu. Ses griffes pointues sont très utiles pour la chasse. Quand ce chasseur de nuit crie, on dit qu'il hulule.
2. La tortue
   Cet animal est reconnu pour sa lenteur. Sa carapace dure protège son corps. Ses pattes sont écartées et elles sont courtes. Sa chair est comestible. Certains de ces reptiles peuvent être très petits et d'autres peuvent mesurer plus d'un mètre de long et peser plus de 300 kilogrammes.
3. L'hippocampe
   Ce poisson marin est fascinant. Sa tête ressemble à celle d'un cheval et son corps est dans une position verticale. Il utilise sa queue pour chasser.
4. Le maringouin
   Ce moustique est très détestable. Durant l'été, ces petites bestioles peuvent ruiner nos réceptions et nos repas en plein air. Les maringouins nous piquent et avec leur trompe ils se nourrissent de notre sang. En quelques minutes, nos bras et nos jambes peuvent être couverts de piqûres. Il existe plusieurs recettes pour soulager les démangeaisons causées par ces piqûres. Une de ces recettes consiste à mélanger du bicarbonate de soude et de l'eau. Quand cette pâte est prête, vous devez l'appliquer sur vos piqûres.
5. La guêpe
   Cet insecte fait peur à beaucoup de personnes. Son corps allongé est jaune et noir. La femelle porte un aiguillon venimeux. C'est avec cet aiguillon que la guêpe peut vous piquer. Les guêpes construisent des nids. Dans leurs nids, il y a des larves. Si vous avez le malheur de mettre un de vos pieds sur un nid de guêpes, vous risquez d'avoir de gros problèmes !
6. La mouche domestique
   Cet insecte volant dérange beaucoup de gens. Son bourdonnement est fatigant et sa présence dans la maison peut devenir très énervante. La mouche est nuisible, car elle transporte des microbes sur ses pattes et sa trompe. Si vous désirez attraper une mouche dans votre maison, votre meilleure arme est votre patience. Ne vous énervez pas, car vous risquez de briser vos lampes, vos cadres et vos bibelots.

5. *Les pronoms compléments*

EXERCICE 1

1. Oui, il la dérange.
2. Non, elle ne le dérange pas.
3. Non, il ne le prépare pas.
4. Oui, il le dérange.
5. Non, il ne l'aide pas.
6. Non, il ne les dérange pas.

EXERCICE 2

1. a) Je la lance.
   b) Je le lance.
   c) Je les lance.
2. a) Je l'attrape.
   b) Je l'attrape.
   c) Je les attrape.
3. a) Je l'échappe.
   b) Je l'échappe.
   c) Je les échappe.
4. a) Je les lave.
   b) Je les lave.
   c) Je le lave.

5. a) Je les range.
   b) Je les range.
   c) Je le range.
6. a) Il les repasse.
   b) Il la repasse.
   c) Il le repasse.
7. a) Tu le fais.
   b) Tu la fais
   c) Tu les fais.
8. a) Nous la mémorisons.
   b) Nous le mémorisons.
   c) Nous les mémorisons.

EXERCICE 3

1. Oui, je l'ai regardée.
2. Oui, je l'ai lu.
3. Oui, je les ai trouvées.
4. Oui, ils les ont finis.
5. Oui, elle l'a comprise.
6. Oui, je l'ai pris.
7. Oui, je l'ai écoutée.
8. Oui, nous les avons apportés.
9. Oui, je l'ai noté.
10. Oui, je l'ai tapée.

EXERCICE 4

1. Non, je ne l'ai pas appelé.
2. Non, je ne l'ai pas appelée.
3. Non, je ne les ai pas appelés.
4. Non, je ne l'ai pas vendue.
5. Non, elle ne l'a pas préparé.
6. Non, il ne l'a pas trouvé.
7. Non, elle ne l'a pas envoyé.
8. Non, nous ne les avons pas reçus.
9. Non, ils ne l'ont pas lavée.
10. Non, elles ne l'ont pas achetée.

EXERCICE 5

1. Il va la regarder.
2. Elle va le terminer cet après-midi.
3. Nous allons les rencontrer au bureau.
4. Elles vont les préparer ce soir.
5. Il va l'envoyer la semaine prochaine.

EXERCICE 6

1. Oui, je vais le voir.
2. Oui, nous allons la rencontrer au restaurant.
3. Oui, ils vont les accueillir à l'aéroport.
4. Non, elle ne va pas les inviter.
5. Non, il ne va pas les reconduire à la gare.
6. Non, elle ne va pas les chercher à l'école.

EXERCICE 7

1. Il en écrit une.
2. Elle en lit un.
3. Nous en voulons une.
4. Elle en a un.
5. Il en cherche un.
6. Elle en a.
7. Il en a.
8. Ils en ont.

EXERCICE 8

1. Je n'en ai pas.
2. Tu n'en as pas.
3. Ils n'en ont pas.
4. Nous n'en avons pas.
5. Je n'en ai pas.
6. Ils n'en veulent pas.
7. Elle n'en achète pas.
8. Elles n'en lisent pas.

EXERCICE 9

1. Oui, j'en ai acheté.
2. Oui, j'en ai lavé.
3. Oui, elle en a rencontré.
4. Oui, il en a posé.
5. Oui, nous en avons suivi un.
6. Non, je n'en ai pas acheté.
7. Non, il n'en a pas reçu.
8. Non, ils n'en ont pas congédié.

EXERCICE 10

1. Elle lui parle.
2. Tu lui dis bonjour.
3. Je lui téléphone.
4. Je lui envoie les documents.
5. Il leur lance la balle.
6. Elle ne lui parle pas.
7. Il ne lui dit pas bonjour.
8. Elle ne leur ressemble pas.
9. Elle ne lui donne pas les messages.
10. Ils ne leur envoient pas les lettres.

EXERCICE 11

1. Oui, je lui ai parlé.
2. Oui, je lui ai dit bonjour.
3. Oui, ils leur ont envoyé les lettres.
4. Oui, elle lui a donné les renseignements.
5. Oui, il lui a écrit une lettre.
6. Non, elle ne lui a pas parlé.
7. Non, je ne lui ai pas écrit.
8. Non, je ne lui ai pas annoncé la nouvelle.
9. Non, il ne lui a pas téléphoné.
10. Non, je ne leur ai pas donné les documents.

EXERCICE 12

1. Oui, je vais lui parler.
2. Oui, elle va lui annoncer la nouvelle.
3. Oui, il va lui téléphoner.
4. Oui, nous allons lui demander des explications.
5. Oui, ils vont leur dire la vérité.
6. Non, je ne vais pas lui donner la réponse.
7. Non, il ne va pas lui télécopier le document.
8. Non, je ne vais pas lui envoyer la lettre.
9. Non, elle ne va pas leur donner de devoirs.
10. Non, il ne va pas leur parler.

EXERCICE 13

1. J'y vais tous les matins.
2. J'y vais une fois par semaine.
3. Il y va deux fois par année.
4. Nous y allons tous les mois.
5. Tu y es allé la semaine dernière.
6. Vous y êtes allés la fin de semaine passée.
7. Elles y sont allées l'année dernière.
8. Je vais y aller après le cours.
9. Il va y aller cet après-midi.
10. Nous allons y aller demain matin.
11. Tu vas y aller samedi prochain.
12. Elle va y aller l'hiver prochain.

EXERCICE 14

1. Oui, j'y vais.
2. Non, ils n'y vont pas.
3. Oui, ils y sont allés.
4. Oui, nous y étions.
5. Non, nous n'allons pas y aller.
6. Oui, il va y aller.
7. Oui, je voudrais y aller.
8. Oui, nous voulions y aller.

6. Les verbes

EXERCICE 1

1. regarde
2. écoutez
3. pensons
4. finissez
5. fais
6. lis
7. travaillez
8. bois
9. pensez
10. observez
11. réfléchissons
12. partons

EXERCICE 2

1. Sois à l'heure !
2. Ayez confiance !
3. Soyons sérieux !
4. N'ayez pas peur !
5. Ne sois pas pessimiste !

EXERCICE 3

1. Allez voir si Pierre est arrivé.
2. Lis cette lettre.
3. Trouvons une solution.
4. Téléphone le plus tôt possible à M. Dubois.
5. Restez calme.
6. Ne paniquons pas.
7. Ne t'énerve pas.
8. N'allez pas voir ce film.
9. N'insistez pas.
10. Faisons la pause-café.

EXERCICE 4

1. Ne lui dis pas.
2. Ne lui donne pas la lettre.
3. Ne l'appelle pas immédiatement.
4. Ne vous présentez pas à cinq heures.
5. Ne m'apporte pas les factures.
6. Ne leur dites pas de venir.
7. Ne me donnez pas votre réponse aujourd'hui.
8. Ne me rappelez pas cet après-midi.
9. Ne les invitez pas aujourd'hui.
10. Ne nous rencontrons pas au bureau.

EXERCICE 5

1. Avoir
j'avais
tu avais
il/elle/on avait
nous avions
vous aviez
ils/elles avaient

2. Être
j'étais
tu étais
il/elle/on était
nous étions
vous étiez
ils/elles étaient

3. Faire
je faisais
tu faisais
il/elle faisait
nous faisions
vous faisiez
ils/elles faisaient

4. Aller
j'allais
tu allais
il/elle allait
nous allions
vous alliez
ils/elles allaient

EXERCICE 6

1. je téléphonais
2. nous mangions
3. je pensais
4. il finissait
5. elle pouvait
6. tu devais
7. il voulait
8. vous marchiez
9. nous regardions
10. ils travaillaient

EXERCICE 7

1. Je travaillais.
2. Il était neuf heures.
3. Il était chez un client.
4. Elle voulait parler au gérant.
5. Elle était fâchée.
6. Il était parti dîner.
7. Ils parlaient avec le directeur.
8. Ils planifiaient une nouvelle stratégie.

EXERCICE 8

1. Qu'est-ce que tu faisais ?
2. Qu'est-ce qu'il voulait (savoir) ?
3. Quelle heure était-il ?
4. Qu'est-ce qu'elle regardait/faisait ?

5. Étiez-vous (très) fatigués ?
6. Où devaient-ils aller ?
7. Quel temps faisait-il ?
8. Étiez-vous/Étais-tu couché ?

EXERCICE 9

1. Samedi dernier, je suis allé au centre commercial. Ça m'a pris un quart d'heure avant de trouver une place pour garer ma voiture. Dans le centre commercial, il y avait beaucoup de monde. J'ai acheté les articles que je voulais et je suis rentré chez moi.
2. Hier matin, je me suis réveillé en retard. Mon réveille-matin a sonné à six heures, mais je l'ai éteint parce que je voulais rester couché cinq minutes de plus. Soudainement, j'ai ouvert mes yeux et il était sept heures et quart. Je me suis habillé en vitesse, j'ai bu deux gorgées de café et je suis parti au bureau.
3. Hier, j'ai eu une grosse journée. J'ai travaillé au bureau de huit heures à dix heures et ensuite je suis parti chez un client. À midi, je suis allé au restaurant pour rencontrer un autre client. À une heure et demie, je suis retourné au bureau et j'ai rédigé des rapports. Pendant que je travaillais, un autre de mes clients est arrivé au bureau. Je l'ai reçu dans la salle de conférence et nous avons discuté pendant une heure. À quatre heures, j'ai rencontré un autre client. Je suis rentré à la maison vers sept heures et j'étais très fatigué.

EXERCICE 10

1. Un jour, je vous raconterai l'histoire de ma vie.
2. Il annoncera la grande nouvelle la semaine prochaine.
3. Nous leur téléphonerons plus tard.
4. Tu obtiendras une promotion dans quelques mois.
5. Vous finirez ce travail demain.
6. Ils bâtiront leur maison sur ce terrain.
7. Tu écriras une lettre de remerciement à ce client.
8. À l'avenir, nous étudierons plus fort.
9. Je lirai vos textes en fin de semaine.
10. Ils rencontreront le Premier ministre dans un mois.

EXERCICE 11

1. il achèterait
2. tu étudierais
3. nous discuterions
4. elle finirait
5. je dirais
6. vous apprendriez
7. ils partiraient
8. elle répondrait
9. j'écrirais
10. elles donneraient

EXERCICE 12

– Monsieur Tremblay, j'aimerais vous voir dans mon bureau.
– Oui, Monsieur Laporte, j'arrive tout de suite.
– Monsieur Tremblay, j'ai une idée et je voudrais savoir ce que vous en pensez.
– Certainement. Je vous écoute.
– Dites-moi, voudriez-vous occuper le poste de directeur adjoint ?
– Ça me plairait bien, mais je ne sais pas si je serais à la hauteur de la situation...
– Mais si ! Vous feriez un très bon directeur adjoint. Vous avez l'expérience et les compétences nécessaires pour occuper ce poste.
– Est-ce que j'aurais les mêmes responsabilités que Mme Ducharme, notre ancienne directrice adjointe ?
– Oui, vous auriez les mêmes responsabilités. De plus, vous recevriez un salaire plus élevé que celui que vous avez présentement.
– Est-ce que j'irais en Asie aussi souvent que Mme Ducharme ?
– En effet, vous devez être prêt à voyager souvent.
– Est-ce que je pourrais avoir un peu de temps pour réfléchir à votre proposition ?
– Certainement, je vous accorde quelques jours, mais j'apprécierais avoir votre réponse avant la fin de la semaine prochaine.
– C'est bien, je vais vous donner ma réponse dans quelques jours.

EXERCICE 13

1. Si tu étudiais plus fort, tu aurais des meilleurs résultats.
2. S'il téléphonait plus souvent à ses clients, il ferait plus de ventes.
3. Si elles se réunissaient plus souvent, elles pourraient régler beaucoup plus de choses.
4. Si vous utilisiez le dictionnaire plus souvent, vous feriez moins d'erreurs.
5. Si vous faisiez une étude de marché, vous seriez mieux placé pour prendre une décision.
6. Si tu te levais un peu plus tôt, tu n'arriverais pas en retard au travail.
7. Si elle prenait une semaine de vacances, elle serait beaucoup plus productive à son retour.
8. S'ils allouaient un plus gros budget pour la publicité, nous pourrions faire des choses plus intéressantes.

EXERCICE 14

1. que je rencontre
2. que nous discutions
3. qu'ils finissent
4. qu'elle parte
5. que j'aille
6. que tu sois
7. que vous ayez
8. qu'il fasse
9. que je sache
10. que tu écrives

EXERCICE 15

1. Monsieur Tremblay, il faut que je vous parle.
2. Il faut que nous soyons plus attentifs.
3. Il ne faut pas que vous soyez gênés de dire ce que vous pensez.
4. Il faut que je parte avant quatre heures.
5. Il faut que nous envoyions tous les documents avant jeudi.
6. Il faudrait que tout le monde soit présent à cette réunion.
7. Il faudrait qu'il revienne au bureau avant deux heures.
8. Il a fallu que j'aille au bureau pour chercher les documents.
9. Il a fallu qu'il travaille toute la nuit pour terminer son analyse.
10. Il va falloir que nous nous rencontrions pour analyser ce rapport.
11. Il va falloir que tu fasses un discours la semaine prochaine.
12. Il va falloir que nous soyons à l'aéroport à sept heures si nous ne voulons pas rater notre avion.

7. La négation

EXERCICE 1

1. Il n'y a plus d'enveloppes à coller.
2. Elle ne veut plus travailler.
3. Il n'a plus mal au dos.
4. Nous n'avons plus de travail à faire.
5. La ligne téléphonique n'est plus en dérangement.
6. Le magasin n'est plus ouvert à cette heure-ci.
7. Ils ne sont plus fâchés.
8. Il n'y a plus de dossiers à classer.

EXERCICE 2

1. Je ne l'ai jamais vu.
2. Nous ne sommes jamais allés au Mexique.
3. Il n'a jamais joué dans une pièce de théâtre.
4. Il n'a jamais travaillé avec ce logiciel.
5. Elle n'a jamais suivi de cours de couture.
6. Il n'a jamais fait de plongée sous-marine.
7. Je n'ai jamais lu ce livre.
8. Il n'a jamais gagné le prix du meilleur vendeur de l'année.

EXERCICE 3

1. Non, je ne prends plus de somnifères.
2. Non, elle ne prend plus de médicaments.
3. Non, je ne fais plus mes exercices tous les matins.
4. Non, elle n'écoute plus de musique subliminale.
5. Non, je n'ai jamais fait de méditation.
6. Non, je n'ai jamais pris l'avion.
7. Non, nous n'allons pas souvent en voyage.
8. Non, je ne veux plus de café.
9. Non, je ne veux pas de thé.
10. Non, je n'ai jamais bu de cidre.
11. Non, il n'a jamais mangé de tourtière.
12. Non, nous ne sommes jamais allés dans un restaurant vietnamien.
13. Non, il n'est plus au téléphone.
14. Non, ils ne sont pas en réunion.
15. Non, ils ne vont pas venir demain.

8. La question

EXERCICE 1

1. Que veux-tu ?
2. Que faites-vous ?
3. Qu'ont-ils acheté ?
4. Que voulait-elle ?
5. Que feriez-vous à ma place ?
6. Qu'a-t-il écrit ?
7. Qu'as-tu décidé ?
8. Qu'allez-vous dire ?
9. Que va-t-elle faire ?
10. Que vas-tu choisir ?

EXERCICE 2

1. Que veut-il ?
2. Que lisait-elle ?
3. Que cherchait-il ?
4. Qu'avez-vous acheté ?
5. Qu'a-t-elle reçu ?
6. Que vont-ils envoyer ?
7. Qu'allons-nous étudier ?
8. Que désirent-ils ?

EXERCICE 3

1. Avec qui est-elle partie ?
2. Avec qui habite-t-il ?
3. À qui envoie-t-elle les factures ?
4. À qui a-t-elle prêté ses outils ?
5. Avec qui discutent-ils ?
6. De qui parlent-ils ?
7. Qui est venu ?
8. Qui veut un café ?
9. À qui parle-t-il ?
10. De qui viennent ces fleurs ?

EXERCICE 4

1. Combien de chandails as-tu/avez-vous achetés ?
2. Combien vaut cette automobile ?
3. Combien coûte le livre ?
4. Combien de jours par semaine travaille-t-elle ?
5. Pendant combien de mois/de temps a-t-il travaillé sur ce projet ?
6. Combien de fois par année prend-il des vacances ?
7. Combien pèse cette enveloppe ?
8. Pendant combien de jours/de temps vont-ils rester à Chicago ?
9. Combien d'enfants ont-ils ?
10. Combien cela coûte-t-il ?
11. Combien va valoir cette peinture dans dix ans ?
12. Combien de temps devrai-je/devrons-nous attendre ?

EXERCICE 5

Questions possibles :
1. Combien de citoyens étaient présents pour contester le projet d'autoroute ?
2. Combien de personnes portaient des chandails avec une inscription ?
3. Combien coûtera ce projet ?
4. Combien vaut la maison de M. Desrosiers ?
5. Combien vaudra la maison de M. Desrosiers s'il y a une autoroute ?
6. Combien de personnes attendaient encore en file à la fin de l'assemblée ?
7. Combien d'assemblées spéciales le conseil municipal tiendra-t-il le mois prochain ?